UN LLAMADO A CELEBRAR

LA CONFIRMACIÓN

Tabla de contenido

Visita **www.harcourtreligion.com** para encontrar vínculos de búsqueda, preguntas y respuestas, actividades y conexiones para la vida.

Centro de recursos en línea

Table of Contents

Visit **www.harcourtreligion.com** to find Research Links, Q & As, Activities, and Life Connections.

v

¡Bienvenido!

Querido candidato:

Te estás preparando para dar otro paso en tu **peregrinar en la fe**. En el Bautismo te convertiste en una "nueva creación" en Cristo y recibiste el don y la presencia del Espíritu Santo para guiarte. Tus padres y padrinos han mantenido sus promesas de cuidarte y crecerte en la práctica de la fe. Tus catequistas, compañeros de clase y otros miembros de la Iglesia te han ayudado a vivir como un discípulo de Jesús. Has crecido en tu entendimiento del mensaje y la misión de Jesús y cómo aplicarlo en tu vida propia. Cada semana participas en la Eucaristía y eres fortalecido por el Cuerpo y la Sangre de Jesús para responder al llamado de tu bautismo de convertirte en **Hijo de la Luz**. Ahora estás listo para completar tu iniciación a través del **Sacramento de la Confirmación**.

Durante esta preparación aprenderás más sobre:

✳ **los Sacramentos de Iniciación**

✳ **el papel del Espíritu Santo en tu vida**

✳ **los dones del Espíritu Santo**

✳ **lo que significa ser llamado para la santidad y el testimonio**

✳ **los signos y símbolos de la Iglesia Católica Romana**

✳ **cómo orar y reflexionar**

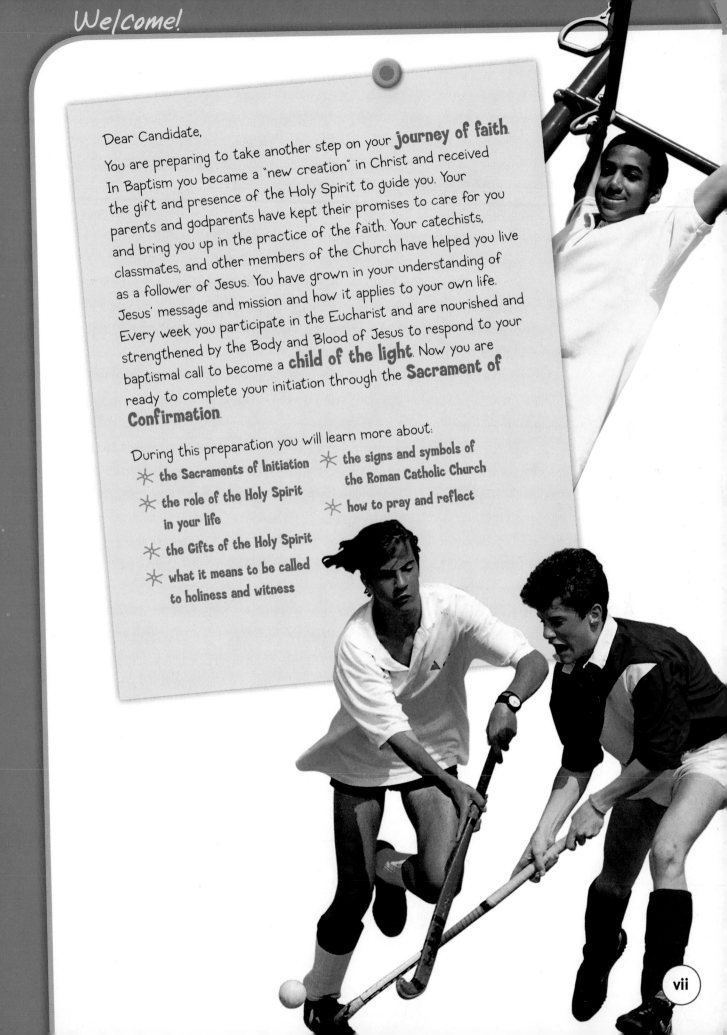

Dear Candidate,

You are preparing to take another step on your **journey of faith**. In Baptism you became a "new creation" in Christ and received the gift and presence of the Holy Spirit to guide you. Your parents and godparents have kept their promises to care for you and bring you up in the practice of the faith. Your catechists, classmates, and other members of the Church have helped you live as a follower of Jesus. You have grown in your understanding of Jesus' message and mission and how it applies to your own life. Every week you participate in the Eucharist and are nourished and strengthened by the Body and Blood of Jesus to respond to your baptismal call to become a **child of the light**. Now you are ready to complete your initiation through the **Sacrament of Confirmation**.

During this preparation you will learn more about:

* the Sacraments of Initiation
* the role of the Holy Spirit in your life
* the Gifts of the Holy Spirit
* what it means to be called to holiness and witness
* the signs and symbols of the Roman Catholic Church
* how to pray and reflect

Ya has aprendido bastante sobre tu fe, has participado en la vida de la Iglesia y has vivido como discípulo de Jesús.

¿Qué crees te será de más ayuda mientras te preparas para celebrar el Sacramento de la Confirmación?

_____
_____
_____
_____
_____
_____
_____
_____
_____
_____

¿Qué preguntas tienes acerca de ser confirmado?

_____
_____
_____
_____
_____
_____
_____
_____
_____

You have already learned much about your faith, participated in the life of the Church, and lived as a disciple of Jesus.

? What do you think will be most helpful for you as you prepare to celebrate the Sacrament of Confirmation?

_____

_____

_____

_____

_____

_____

_____

_____

? What questions do you have about being confirmed?

_____

_____

_____

_____

_____

_____

_____

_____

_____

Nuestro peregrinar en el Espíritu

Rito de apertura

Procesión con la Sagrada Escritura

 Cantemos.

Líder: Oremos.

Todos: *Hagamos la señal de la cruz.*

Líder: Señor, nuestro Dios, nos congregamos como un pueblo en su peregrinar. Abre nuestros corazones para poder comprender cuan grande es tu amor y cuanto deseas estar con nosotros. Ayúdanos a conocer tus promesas de que estarás con nosotros en este peregrinar y a confiar en ellas. Te alabamos y damos gracias por el don de nuestro Bautismo y la presencia del Espíritu Santo en nosotros.

Todos: Amén.

Celebración de la Palabra

Líder: Lectura del Libro del profeta Jeremías.
                Leamos Jeremías 1, 4-10.
                Palabra de Dios.

Todos: Te alabamos, Señor.

Reflexionemos en silencio.

 ¿Qué significa para ustedes lo que dice Jeremías acerca de su edad y qué les dice esto acerca de su propia peregrinación en la fe?

ÉNFASIS DEL RITO

Renovación de las promesas bautismales

Pasen al frente cuando se les indique.

Líder: Padre celestial, en el Bautismo nos unimos a ti, a tu Hijo Jesucristo y a tu Espíritu Santo. Fuimos acogidos en la familia de la Iglesia. Escucha nuestra oración mientras recordamos nuestro Bautismo. Te lo pedimos por tu Hijo Jesús, quien vive y reina por los siglos de los siglos.

Todos: Amén.

Journey
with the Spirit

Gathering Rite
Procession with the Word

 Sing together.

Wade in the water,
wade in the water, children, now.
Wade in the water,
God's gonna trouble the water.

"Wade in the Water" © 1993, 1995, M.D. Ridge.
Published by OCP Publications

Leader: Let us pray.

All: *Pray the Sign of the Cross together.*

Leader: Lord, our God, we gather together as a people on a journey. Open us to understand your longing and love for us; help us both know and depend on your promises to be with us on this journey. We give you praise and thanks for the gift of our Baptism and the presence of the Holy Spirit in us.

All: Amen.

Celebration of the Word

Leader: A reading from the Book of the prophet Jeremiah.
Read Jeremiah 1:4–10.
The word of the Lord.

All: Thanks be to God.

Reflect silently.

? What do Jeremiah's words about his age mean to you and what do they say to you about your own faith journey?

RITUAL FOCUS

Renewal of Baptismal Promises

Come forward as directed.

Leader: Heavenly Father, at Baptism, we were joined to you, your Son Jesus Christ, and your Holy Spirit. We were welcomed into the family of the Church. Hear our prayer as we remember our Baptism. We ask this through your Son, Jesus, who lives and reigns forever.

All: Amen.

Renuncia al pecado

Líder: ¿Renuncian al pecado para poder vivir en la libertad de los hijos de Dios?

Todos: Sí, renuncio.

Líder: ¿Renuncian a la seducción del mal y se niegan a ser dominados por el pecado?

Todos: Sí, renuncio.

Líder: ¿Renuncian a Satanás, padre del pecado y príncipe de las tinieblas?

Todos: Sí, renuncio.

Profesión de fe

Líder: ¿Creen en Dios, Padre todopoderoso, creador del cielo y de la tierra?

Todos: Sí, creemos.

Líder: ¿Creen en Jesucristo, su único Hijo, nuestro Señor?

Todos: Sí, creemos.

Líder: ¿Creen en el Espíritu Santo, la santa Iglesia Católica, la comunión de los santos, el perdón de los pecados, la resurrección del cuerpo y la vida eterna?

Todos: Sí, creemos.

Rito de iniciación cristiana, 224-225

El líder asperja al grupo con agua bendita. Hagan la señal de la cruz mientras los asperjan con agua bendita.

Peticiones

Líder: Oremos.
Respondemos: Señor escucha nuestra oración.

Lector 1: Para que cada día que pase conozcamos más plenamente a Cristo, oremos al Señor.

Lector 2: Para que abramos nuestros corazones y seamos generosos en nuestra respuesta a este tiempo de preparación, oremos al Señor.

Lector 3: Para que encontremos en la Iglesia y entre nosotros, señales de unidad y amor incondicional, oremos al Señor.

Lector 4: Para que seamos más receptivos a las necesidades de los demás, oremos al Señor.

Líder: Oremos como Jesús nos enseñó.

Oremos el Padrenuestro.

¡Evangelicemos!

Líder: Dios, Padre amoroso, nos dirigimos a ti inspirados por nuestra fe. Envía a tu Espíritu Santo para que podamos dar testimonio de esa fe a todos los que nos rodean. Te lo pedimos por Cristo, nuestro Señor que vive y reina contigo en unidad del Espiritu Santo y en Dios, por los siglos de los siglos.

Todos: Amén.

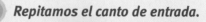 *Repitamos el canto de entrada.*

Renunciation of Sin

Leader: Do you reject sin, so as to live in the freedom of God's children?

All: I do.

Leader: Do you reject the glamour of evil and refuse to be mastered by sin?

All: I do.

Leader: Do you reject Satan, father of sin and prince of darkness?

All: I do.

Profession of Faith

Leader: Do you believe in God the Father almighty, creator of heaven and earth?

All: I do.

Leader: Do you believe in Jesus Christ, his only Son, our Lord?

All: I do.

Leader: Do you believe in the Holy Spirit, the holy catholic Church, the communion of saints, the forgiveness of sins, the resurrection of the body, and life everlasting?

All: I do.

Rite of Christian Initiation, 224–225

Leader sprinkles group with holy water. Pray the Sign of the Cross as you are sprinkled with holy water.

General Intercessions

Leader: Let us pray.
The response is Hear us, O Lord.

Reader 1: That with every passing day we come to know Christ more fully, we pray to the Lord.

Reader 2: That we will be open and generous in our response to this time of preparation, we pray to the Lord.

Reader 3: That we will find in the Church and among ourselves, signs of unity and unconditional love, we pray to the Lord.

Reader 4: That we will become more responsive to the needs of others, we pray to the Lord.

Leader: Let us pray as Jesus has taught us:

Pray the Lord's Prayer together.

We Go Forth

Leader: God, our Loving Father, we stand before you in faith. Send your Holy Spirit that we may act as witnesses of that faith to those around us. We ask this through Christ, our Lord.

All: Amen.

🎼 *Sing again the opening song.*

Promesas bautismales

⭐ Reflexionemos
acerca de la celebración

Mis reflexiones 📎

Para mí, lo más importante al renovar mis promesas bautismales hoy fue

_____

_____

_____

La parte de la celebración que significó más para mí fue

_____

_____

_____

Compartamos nuestra fe

▶ Con un compañero o en un grupo pequeño, lean otra vez las palabras de la Renuncia al pecado y la Profesión de fe. Compartan sus respuestas a las siguientes preguntas:

❓ ¿Qué significa "la seducción del mal" para los jóvenes de hoy?

▶ Elaboren una lista de cómo el haber sido bautizados en la Iglesia Católica les ha ayudado a renunciar al pecado y a la seducción del mal.

🔥 SÍMBOLO DEL ESPÍRITU SANTO

Agua *¿Sabían que durante el tiempo en que esperaban nacer estaban rodeados de agua en el vientre de su madre? Cuando llegó el momento de nacer, salieron del agua del vientre de su madre a una vida nueva y diferente en este mundo. El agua es un símbolo del Espíritu Santo porque nos recuerda que Él actúa en el Bautismo. Durante el Bautismo, el sacerdote o el diácono ora para que Dios Espíritu Santo confiera la gracia de Jesús, el Hijo de Dios, al agua. Es a través del poder del Espíritu Santo que el agua se convierte para nosotros en la fuente de nueva vida divina en Cristo. En las aguas del Bautismo, el Espíritu Santo nos da la vida divina.*

❓ ¿Tienen alguna actividad preferida que se relacione con el agua? ¿Alguna vez han tenido la experiencia de la aspersión de agua en su parroquia? ¿Qué significó esa experiencia para ustedes?

_____

_____

_____

_____

_____

_____

_____

Baptismal Promises

⭐ Reflect
on the Celebration

My Thoughts 📎

For me, the most important thing about renewing my baptismal promises today was

_____

_____

_____

The part of the celebration that meant the most to me was

_____

_____

_____

Faith Sharing

▶ With a partner or in a small group, read again the words of the Renunciation of Sin and Profession of Faith. Share your responses to the following question:

? What does the "glamour of evil" mean to young people today?

▶ Together make a list of the ways that being baptized in the Catholic Church has helped you reject sin and the glamour of evil.

SYMBOL OF THE HOLY SPIRIT

Water *Did you know that during the time you were waiting to be born you were surrounded by water in your mother's womb? When it came time for you to be born, you came forth from the water of your mother's womb to a new and different life in this world. Water is a symbol of the Holy Spirit because it reminds us that he acts in Baptism. During Baptism the priest or deacon prays that God the Holy Spirit will confer the grace of Jesus, God's Son, on the water. It is through the power of the Holy Spirit that the water becomes the source of new divine life in Christ for us. In the waters of Baptism, the Holy Spirit gives us divine life.*

? Do you have any favorite water activities? Have you ever experienced sprinkling with water in your parish? What did the experience mean for you?

_____

_____

_____

_____

_____

_____

_____

_____

_____

Promesas bautismales

Cuando nos bautizan de infantes o muy pequeños, no podemos hacer nuestras promesas bautismales como cuando somos mayores, así que nuestros padres y padrinos prometen lo siguiente:

▶ aceptar la responsabilidad de instruirnos en la práctica de la fe

▶ enseñarnos a guardar los Mandamientos, amando a Dios y a nuestro prójimo

▶ protegernos del pecado para que así podamos fortalecernos y crecer en la vida de Dios.

Nuestros padres y padrinos renuevan sus promesas bautismales como señal de que están dispuestos a cumplir su promesa. Desde que ustedes fueron bautizados, probablemente han renovado sus promesas bautismales durante la Pascua o durante alguna celebración eucarística donde también se celebraba un Bautismo.

La promesa de Dios

Una promesa es un compromiso o una garantía. Esperamos que las personas cumplan sus promesas y nos decepcionamos cuando no lo hacen. En el Bautismo hacemos promesas a Dios a través de la Iglesia. Pero es importante recordar que Dios nos hizo una promesa antes. Hizo su promesa por primera vez en una **alianza** con la raza humana. Una alianza es un acuerdo mutuo y solemne entre personas, o entre Dios y una persona o una comunidad. En un acuerdo de alianza, tanto Dios como las personas involucradas se comprometen unas con otras. En la alianza de Dios con nosotros:

▶ Dios promete su presencia y fidelidad.

▶ Nos invita a ser sus hijos.

▶ Nos da el don de la **gracia** santificante, que es una participación en su propia vida. La gracia nos ayuda a responder al llamado bautismal de convertirnos en hijos adoptivos de Dios.

▶ Nosotros prometemos que nos apartaremos del pecado y seremos fieles a Dios el Padre, Dios el Hijo y Dios el Espíritu Santo.

Cada vez que renovamos nuestras promesas bautismales, celebramos y recordamos la promesa de Dios. Además, renovamos nuestras propias promesas de ser fieles a Él.

REFLEXIONEMOS SOBRE ESTOS PUNTOS

¿Recuerdas algunas promesas que hayas hecho a otras personas? ¿Alguna vez has hecho promesas sin pensar lo que te exigiría el cumplirlas? ¿Qué sientes cuando no cumples una promesa?

COMPARTAMOS ESTOS PUNTOS

¿De qué maneras sus padrinos y los miembros de sus familias les ayudan a conocer a Dios y a creer en Él? ¿Les enseñaron a guardar los mandamientos y a no consentir con el pecado? ¿Creen que con su conducta ayudan a sus familias y padrinos a cumplir con el compromiso que hicieron de ayudarles en su proceso de crecimiento en la fe?

Baptismal Promises

When we are baptized as infants or very young children, we are not able to make our baptismal promises as we can when we are older. So, our parents and godparents pledge

▶ to accept the responsibility of training us in the practice of the faith

▶ to bring us up to keep God's commandments, by loving him and our neighbor

▶ to keep us safe from sin so God's life in us will grow stronger

Our parents and godparents renew their baptismal promises as a sign that they are ready to fulfill their pledge. Since your Baptism, you have probably renewed your own baptismal promises at Easter or during a Eucharist that included a Baptism.

God's Promise

A promise is a pledge or assurance. We expect people to keep their promises, and we are disappointed when they do not. In Baptism we make promises to God through the Church. But it is important to remember that God first made us a promise. His promise was first made in a **covenant** with the human race. A covenant is a solemn and mutual agreement between people or between God and a person or community. In a covenant agreement, both God and the persons involved make commitments to one another. In God's covenant with us,

▶ God promises his presence and faithfulness.

▶ He invites us to be his children.

▶ He gives us the gift of **grace**, which is a share in his own life. Grace helps us respond to the baptismal call to become God's adopted children.

▶ We promise that we will turn from sin and be faithful to God the Father, God the Son, and God the Holy Spirit.

Every time we renew our baptismal promises, we celebrate and remember God's promise. We also renew our own promises to be faithful to him.

La alianza de Dios

REFLEXIONEMOS
SOBRE ESTOS PUNTOS

Si al despertar esta mañana, tu primer pensamiento hubiese sido: "Estoy hecho a imagen de Dios". ¿Habría cambiado tu día? ¿Cómo?

La tierra prometida

ÉNFASIS DE NUESTRO MISTERIO DE FE

¿Qué es la alianza de Dios?

En el principio Dios creó a los seres humanos a su imagen y semejanza. No quiere decir que nos parecemos a Dios o que Él se parece a nosotros. Significa que el Espíritu de Dios habita en nuestro interior. Por esto, somos capaces de vivir en comunión con Dios. Ser creados a imagen y semejanza de Dios es un don al igual que una responsabilidad.

Sabemos que en el principio, los seres humanos estaban en armonía con Dios, unos con los otros y con toda la creación. Pero entonces algo sucedió. Nuestros primeros padres, Adán y Eva, desobedecieron a Dios. Nos referimos a su acto pecaminoso como el **pecado original**. Rompió la relación que los seres humanos tenían con Dios, la armonía y el equilibrio de la naturaleza. Debido al pecado original, la naturaleza humana se debilitó y estamos más inclinados a pecar, lo que lastima nuestra relación con Dios, con los demás y con la creación. Sin embargo, la capacidad de amar continúa porque la vida humana es sagrada, siendo cada uno de nosotros hecho a imagen y semejanza de Dios.

Leemos en el Antiguo Testamento que Dios siguió llamando a la gente a continuar su relación con Él, aun después de que pecaron y se apartaron de Él. Dios estableció una alianza con Noé prometiéndole que "ningún ser viviente morirá por las aguas de un diluvio" (*Génesis 9, 11*). Dios hizo esta promesa a Abraham, quien no tenía hijos: "haré de ti una gran nación y te bendeciré" (*Génesis 12, 2*). Y Dios prometió a Abraham que le daría la tierra de Caná a sus descendientes (*Génesis 12, 7*). Los descendientes de Abraham son el pueblo escogido de Dios. El regalo de Dios de la tierra prometida surgió de su alianza con Abraham.

El comportamiento del pueblo escogido de Dios dictaba si se acercaban o alejaban de su amistad con Él. No obstante, Dios se mantuvo fiel a su promesa. El pueblo fue exilado a Egipto y Dios llamó a Moisés para que lo condujera a la libertad y a la tierra prometida. Durante su largo viaje a la tierra prometida, Dios estableció otra alianza con ellos en el Monte Sinaí cuando le dio a Moisés los Diez Mandamientos. La alianza de los Diez Mandamientos en el Monte Sinaí exigía una respuesta del pueblo: "quiero firmar una alianza: voy a realizar . . . prodigios como no los hubo jamás en ningún país . . . Observa lo que te ordeno en este día" (*Éxodo 34, 10-11*).

La nueva alianza

La historia de Dios y su pueblo es una historia de promesas hechas y promesas no cumplidas por parte del pueblo de Dios. Asimismo, es una historia de la constante fidelidad de Dios. Todavía faltaba la alianza de Dios más importante. Él vendría a habitar entre los seres humanos a través de su propio Hijo, Jesús. Leemos en el Antiguo Testamento que los profetas prepararon el camino.

God's Covenant

✝ SCRIPTURE

GO TO THE SOURCE
Genesis 1:24–31, 2:4–17, 3:1–21

THINK ABOUT IT

If when you woke up this morning your first thought was—"I am made in God's image!"—how would your day have been different?

Promised Land

FAITH FOCUS

What is God's covenant?

In the beginning, God created humans in his own image and likeness. This doesn't mean we look like God or he looks like us. It means that God's Spirit dwells within us. Because of this, we are capable of friendship or communion with God. To be created in God's image and likeness is both a gift and a responsibility.

We know that in the beginning, humans were in harmony with God, with one another, and with all of creation. But then something happened. Our first parents, Adam and Eve, disobeyed God. We refer to their sinful action as **original sin**. It disrupted the relationship that humans had with God and disrupted nature's harmony and balance. Because of original sin, human nature is weakened and we are more inclined to sin, which hurts our relationships with God, one another, and creation. The potential to love remains, however, because human life is sacred, each of us created in God's image and likeness.

We read in the Old Testament that God continued to call people into relationship with himself, even after they sinned and turned away from him. God established a covenant with Noah that "never again shall all flesh be cut off by the waters of a flood" *(Genesis 9:11)*. God promised to a childless Abram that "I will make of you a great nation, and I will bless you" *(Genesis 12:2)*. And God promised Abram that he would give his descendants the land of Canaan. *(See Genesis 12:7.)* Abram's descendants are God's Chosen People. God's gift of the Promised Land followed from his covenant with Abram.

As the Chosen People lived out their lives with God, they wandered in and out of friendship with him. However, he remained faithful to his promise. The people were exiled to Egypt, and God called Moses to lead them to freedom and the Promised Land. During their long journey to the Promised Land, God established another covenant with them on Mount Sinai when he gave Moses the Ten Commandments. The covenant of the Ten Commandments at Mount Sinai demanded a response on the part of the people: "I hereby make a covenant. . . . I will perform marvels, such as have not been performed in all the earth. . . . Observe what I command you today" *(Exodus 34:10–11)*.

The New Covenant

The story of God and his people is a story of promises made and promises broken on the part of God's people. It is also a story of God's continued faithfulness. The greatest covenant of God was yet to come. He was coming to dwell among humans through his own Son, Jesus. We read in the Old Testament that the prophets prepared the way.

✝ Escrito en los corazones

Ya llega el día, dice Yavé, en que yo pactaré con el pueblo de Israel (y con el de Judá) una nueva alianza. No será como esa alianza que pacté con sus padres, cuando los tomé de la mano, sacándolos de Egipto. Pues ellos quebraron la alianza, siendo que yo era su Señor, palabra del Señor. Ésta es la alianza que yo pactaré con Israel en los días que están por llegar, dice Yavé: pondré mi Ley en su interior, la escribiré en sus corazones, y yo seré su Dios y ellos serán mi pueblo. Ya no tendrán que enseñarle a su compañero, o a su hermano, diciéndoles: "Conozcan a Yavé". Pues me conocerán todos, del más grande al más chico, dice Yavé; yo entonces habré perdonado su culpa, y no me acordaré más de su pecado.

Jeremías 31, 31-34

❓ ¿En qué se diferencia la nueva alianza de la alianza que se hizo con Abraham? ¿En qué se parece?

❓ ¿Cuál es el plan de ustedes para desarrollar su relación con Dios?

COMPARTAMOS ESTOS PUNTOS

Con un compañero, o en un grupo pequeño, conversen sobre cómo Dios continúa acompañándonos en nuestro peregrinar y haciéndonos promesas aun cuando seguimos apartándonos de Él. Compartan sus ideas sobre lo que esto les dice acerca de Dios. ¿Dónde han tenido la experiencia de la presencia de Dios o se han sentido cerca de Él?

✦ Compartamos
la Palabra

En pequeños grupos creen un acróstico usando las letras de la palabra ALIANZA, que describa las diferentes formas en que ustedes y otros jóvenes de hoy continúan respondiendo a la promesa de Dios de ser nuestro Dios: fiel, verdadero y presente entre nosotros.

A _____

L _____

I _____

A _____

N _____

Z _____

A _____

✝ Written in Hearts

he days are surely coming, says the Lord, when I will make a new covenant with the house of Israel and the house of Judah. It will not be like the covenant that I made with their ancestors when I took them by the hand to bring them out of the land of Egypt—a covenant that they broke, though I was their husband, says the Lord. But this is the covenant that I will make with the house of Israel after those days, says the Lord: I will put my law within them, and I will write it on their hearts; and I will be their God, and they shall be my people. No longer shall they teach one another, or say to each other, "Know the Lord," for they shall all know me, from the least of them to the greatest, says the Lord; for I will forgive their iniquity and remember their sin no more.

Jeremiah 31:31–34

❓ How will the new covenant be different from the covenant made with Abram? How will it be the same?

❓ What steps have you taken to develop a relationship with God?

With a partner or small group, discuss how God continues to journey with us and make promises to us even though we may continue to turn away from him. Share your ideas about what this says about what God is like. Where do you experience the presence of God or feel close to him?

✷ Share
the Word

In small groups, create an acrostic using the letters from the word COVENANT to describe ways you and other young people today continue to respond to God's promise to be our God—faithful, true, and present to us.

C _____

O _____

V _____

E _____

N _____

A _____

N _____

T _____

Un pueblo con alianza

¿Cómo los grupos los ayudan a cumplir sus promesas?

De todos los grupos a los que pertenecen, ¿cuál es su preferido? Con un compañero o en un grupo pequeño digan: ¿por qué querían pertenecer al grupo?, ¿cómo se hicieron miembros? y ¿por qué es su preferido?

ÉNFASIS DE NUESTRO MISTERIO DE FE

¿Cómo hemos sido iniciados en la Iglesia?

De la historia de las relaciones de Dios con los seres humanos podemos darnos cuenta de que constituye un reto para la gente el mantenerse fiel a su parte de la alianza. Dios no espera que cumplamos nuestras promesas o que respondamos a sus promesas solos. Él nos da una familia católica y una comunidad grande de creyentes para ayudarnos. Esa comunidad es la Iglesia, el pueblo de Dios.

La Iglesia como sacramento

La palabra iglesia significa convocatoria o una asamblea de personas que son llamadas juntas por la Palabra de Dios y los sacramentos. La Iglesia es visible, particularmente cuando se congrega para rendir culto y sus miembros viven las promesas de su Bautismo cada día a través de:

- **la celebración en comunidad**
- **su vida de oración**
- **su compromiso con los pobres y los enfermos**
- **su vida en conformidad con las enseñanzas de Cristo**

Al ver y tener la experiencia del testimonio cristiano, otras personas llegan a conocer la presencia de Dios en el mundo. Es así como la Iglesia visible muestra la presencia invisible de Dios. Por esto decimos que la Iglesia es un sacramento.

Como miembros de la Iglesia llegamos a conocer las promesas de Dios y somos fortalecidos por el poder y la presencia del Espíritu Santo, que nos acompaña en nuestro peregrinar en la vida. Nos modela como discípulos y nos ayuda a vivir nuestras promesas bautismales.

Iniciación

Podemos hacer una comparación para entender el significado de "pertenecer a la Iglesia". Pertenecer a la Iglesia es similar a pertenecer a otros grupos. Cuando una persona se incorpora a un grupo, gradualmente va conociendo a los otros miembros. En el proceso de incorporación aprende sobre los símbolos y los ritos propios de ese grupo. Se familiariza con las normas de conducta exigidas por el grupo. Va profundizando en las creencias y valores del grupo y determina si puede hacerlas suyas. Se necesita participar en el grupo por un periodo de tiempo antes de sentirse verdaderamente incorporado al mismo. Hay grupos que tienen ceremonias especiales para celebrar la pertenencia de un nuevo miembro o su posición en el grupo. A estas celebraciones se les conoce como Ritos de Iniciación.

A Covenant People

How are we initiated into the Church?

THINK ABOUT IT

How do groups help you keep promises?

We can see from the history of God's relationships with humans that it is challenging for people to keep faithful to their side of the covenant. God does not expect us to follow our promises or respond to his promises all by ourselves. He gives us a Catholic family and a larger community of believers, to help us. That community is the Church, the People of God.

Church as Sacrament

The word *church* means **convocation** or an assembly of people who are called together by God's word and the sacraments. The Church is visible, especially as she gathers together for worship and her members live out the promises of their Baptism every day through:

- **worshiping God**
- **praying**
- **taking care of the needs of those who are sick or poor**
- **living good lives based on the teachings of Jesus**

TALK ABOUT IT

Of all the groups you belong to, which one is your favorite? With a partner or in a small group, tell why you wanted to join the group, how you became a member, and why it is your favorite.

Through seeing and experiencing such Christian witness, other people come to know God's presence in the world. In these ways, the visible Church shows the invisible presence of God. Because of this, we say the Church is a sacrament.

As members of the Church, we come to know God's promises, and we are strengthened by the power and presence of the Holy Spirit who accompanies us on our life journey. He forms us as disciples and helps us live out our baptismal promises.

Initiation

Belonging to the Church is somewhat like belonging to other groups. You gradually come to know others and become known. You learn

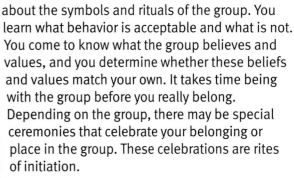

about the symbols and rituals of the group. You learn what behavior is acceptable and what is not. You come to know what the group believes and values, and you determine whether these beliefs and values match your own. It takes time being with the group before you really belong. Depending on the group, there may be special ceremonies that celebrate your belonging or place in the group. These celebrations are rites of initiation.

Los Sacramentos de Iniciación

Nos encontramos con el Dios viviente en todos los **sacramentos**, que son los signos eficaces de la gracia de Dios que nos dio Jesús, y por medio de los cuales participamos de la vida de Dios. Pero, los **Sacramentos de Iniciación**: el Bautismo, la Confirmación y la Eucaristía, son especiales. Es por medio de estos sacramentos que se nos presenta la alianza de amor de Dios y que se nos permite vivir e ir creciendo en nuestra relación con Dios el Padre, con Jesús el Hijo de Dios y con Dios el Espíritu Santo, que viene a habitar dentro de nosotros. A través de estos sacramentos llegamos a ser miembros plenos de la Iglesia.

El **Bautismo** quita el pecado original y cualquier pecado personal que se haya cometido; nos convierte en hijos adoptivos de Dios, miembros del Cuerpo de Cristo y templos del Espíritu Santo. La **Confirmación** completa las gracias recibidas en el Bautismo. Por medio de la Confirmación recibimos la fortaleza especial del **Espíritu Santo**, que nos ayuda a ser hijos de Dios y miembros más firmes de la Iglesia. El Bautismo y la Confirmación imprimen una marca indeleble en el cristiano. Sólo pueden recibirse una vez en la vida. La **Eucaristía**, que es "el origen y la culminación" de la vida cristiana, completa la iniciación cristiana. La eucaristía se celebra a diario y la participación en ella es tan importante que se nos exige que asistamos a misa los domingos. En cada celebración, todos los congregados son llamados a acercarse más a Jesús y son fortalecidos para que puedan llevar su mensaje a los demás.

El Bautismo y la Confirmación no siempre se celebran separados. Cuando los adultos llegan a la Iglesia a través del Rito de Iniciación Cristiana de los adultos, reciben los tres Sacramentos de Iniciación a la vez. Ésta era la costumbre de la Iglesia primitiva, y aún hoy la Iglesia Católica Oriental reciben los tres Sacramentos de Iniciación en la misma celebración. Hoy día la Confirmación de las personas ya bautizadas se puede celebrar separada del Bautismo y en diferentes épocas del año. Cuando la Confirmación se celebra separada del Bautismo, los candidatos siempre renuevan sus promesas bautismales. La Confirmación celebrada durante la misa refleja la unidad de los Sacramentos de Iniciación.

COMPARTAMOS ESTOS PUNTOS

Con un compañero o en un grupo pequeño propongan tantos significados o ejemplos les sea posible de la frase "Dios viviente".

REFLEXIONEMOS SOBRE ESTOS PUNTOS

La persona que escojan como su padrino de Confirmación debe ser un católico confirmado y practicante. El papel del padrino es presentarlos para la unción durante la celebración de la Confirmación y ayudarlos a cumplir sus promesas bautismales durante el resto de sus vidas. ¿Qué cualidades de fe creen que debe tener su padrino?

SIGNOS DE FE

Nombres de Bautismo y de Confirmación

Tradicionalmente, el nombre que recibimos en el Bautismo es un nombre cristiano, escogido en honor de uno de los Santos o de la Virgen. Este santo pasa a ser nuestro patrón o defensor. En algunas parroquias, los confirmados escogen un nombre de Confirmación. Aunque esto no es parte del rito, es una devoción popular en algunas comunidades. Puede leer más acerca de "Escoger un nombre" en la página 102.

? ¿En honor a quién les fue puesto su nombre en el Bautismo? ¿De qué manera esa persona es para ustedes un modelo o defensor?

_____

_____

_____

_____

_____

The Sacraments of Initiation

We meet the living God in all of the **sacraments**, which are effective signs of God's grace given to us by Jesus through which we share in God's life. But the **Sacraments of Initiation**—Baptism, Confirmation, and Eucharist—are special. It is through these sacraments that we are introduced to God's covenant of love and enabled to live it out in a deep relationship with God the Father, with Jesus, God's Son, and with God the Holy Spirit who comes to dwell within us. Through these sacraments, we become full members of the Church.

Baptism takes away original sin and any personal sins committed; it makes us adopted children of God, members of the Body of Christ, and Temples of the Holy Spirit. **Confirmation** completes the graces received in Baptism. Through it we receive the special strength of the **Holy Spirit** who helps us become stronger children of God and members of the Church. Baptism and Confirmation imprint an indelible mark on the Christian. They may be received only once in a person's lifetime. The **Eucharist**, which is the "source and summit" of the Christian's life, completes Christian initiation. The Eucharist is celebrated daily, and participation is so important that we are required to attend Mass on Sundays. At each celebration, all those gathered are called to grow closer to Jesus and are strengthened to go out and bring his message to others.

Baptism and Confirmation are not always celebrated separately. When adults come into the Church through the Rite of Christian Initiation of Adults, they receive the three Sacraments of Initiation at the same time. This was the custom of the early Church, and even today Eastern Catholic Churches receive all three Sacraments of Initiation in the same celebration. Today the Confirmation of previously baptized people is celebrated at different ages and times of the year. When Confirmation is separated from Baptism, the candidates always renew their baptismal promises. Confirmation, celebrated during the celebration of Mass, reflects the unity of the Sacraments of Initiation.

TALK ABOUT IT

With a partner or in a small group, come up with as many meanings for or examples of the phrase "living God" as you can.

THINK ABOUT IT

The person you choose as your Confirmation sponsor must be a confirmed, practicing Catholic. The role of the sponsor is to present you for anointing during the celebration of Confirmation and help you fulfill your baptismal promises during the rest of your life. What faith qualities do you think your sponsor must have?

SIGNS OF FAITH

Baptismal and Confirmation Names
Traditionally, the name we receive at Baptism is a Christian one, chosen in honor of one of the saints or the Blessed Mother. This saint serves as our patron or advocate. In some parishes, those to be confirmed choose a Confirmation name. Although this is not a part of the Rite, it is a popular devotion in some communities. You can read more about Choosing a Name on page 102.

Whom were you named after at your Baptism? How is that person a model or advocate for you?

_____

_____

_____

_____

_____

¡Vivamos

Testimonio de fe

Datos biográficos

Beato Tito Brandsma

Perfil

Apodo: Shorty

Hermanos: cuatro hermanas y un hermano

Idiomas: italiano, frisón [lenguaje hablado en ciertos lugares de Holanda y Alemania], holandés e inglés (y podía leer español)

1881 Ano Sjoera Brandsma nace en Bolsward, Friesland, Holanda.

1899 Se une a los Frailes Carmelitas en Boxmeer y toma el nombre de Tito.

1905 Tito es ordenado sacerdote carmelita a la edad de 24 años.

1919 Fue editor del diario local, donde con frecuencia se le veía trabajar con un cigarro en la boca.

1935 Tito realiza una gira de conferencias por todo Estados Unidos. Visita las cataratas del Niágara. Se convierte en el consejero eclesiástico de los periodistas católicos.

1942 En enero, Tito es arrestado por los nazis. Muere en julio por medio de una inyección letal en el campo de concentración de Dachau.

1985 El Papa Juan Pablo II beatifica a Tito.

"¡No se haga mi voluntad sino la tuya!"
Tito gritó estas palabras mientras los nazis lo torturaban.

Practiquemos nuestra fe

Cuando estaba en octavo grado tenía un amigo que era judío. En una ocasión fuimos de viaje a Washington, DC y visitamos el museo del holocausto. Me causó una gran impresión. No podía creer todo lo que le había pasado a esas personas. Desde ese momento creció mi interés por conocer más acerca de los prisioneros en los campos de concentración. Conocí la historia de Maximiliano Korbe, un sacerdote franciscano de Polonia que dio su vida a cambio de la vida de otro prisionero. Entonces quise saber si otros católicos habían estado en campos de concentración. Descubrí la historia de Tito Brandsma. Su historia me gustó mucho. Era un hombre sencillo pero muy inteligente. Hablaba varios idiomas y obtuvo su doctorado cuando a penas tenía veinte años. Sus amigos le llamaban "de punt" o "shorty" en inglés. Lo que más me impresionó de su vida fue su valentía como periodista. Escribió en contra de las leyes maritales anti-judías. Declaró que ninguna publicación podía llamarse católica si publicaba propaganda nazi. Como consecuencia de esta declaración fue arrestado y más tarde fue asesinado en el campo de concentración de Dachau. Cuando yo sea periodista, quiero imitar a Tito Brandsma, seré valiente y honrado como él.

Mark E.

Witness of Faith

Bio Stats
Blessed Titus Brandsma

Profile
Nickname: Shorty
Siblings: Four sisters and one brother
Spoke: Italian, Frisian, Dutch, and English (and could read Spanish)

1881 Ano Sjoera Brandsma is born at Bolsward, Friesland, Holland.

1899 He joins the Carmelite Friars at Boxmeer and takes the name Titus.

1905 Titus is ordained a Carmelite priest at age twenty-four.

1919 He becomes the editor of the local daily newspaper, where he is often seen working with a cigar in his mouth.

1935 Titus conducts a speaking tour throughout the United States. He visits Niagara Falls. He becomes the ecclesiastical adviser to Catholic journalists.

1942 In January, Titus is arrested by the Nazis. In July, he dies by lethal injection at the Dachau concentration camp.

1985 Titus is beatified by Pope John Paul II.

"Not my will but yours be done!"
Titus shouted these words during his torture by the Nazis.

Living It Out Today

When I was in the eighth grade, my best friend was Jewish and we got to go on a trip to Washington, DC to visit the Holocaust museum. It was something else! I could not believe what had happened to all those people. I became very interested in the whole thing. I had heard about Maximilian Kolbe, the Polish Franciscan priest who gave up his life in place of another prisoner. So I wanted to see if other Catholics had also been in the concentration camps. That's how I found the story of Titus Brandsma. When I read his story, I kind of liked him. He seemed like a regular guy—a pretty smart one too—he could speak a bunch of languages and got a doctorate in his twenties. His friends nicknamed him "de punt" or "Shorty" in English. What really impressed me, though, was that he was a courageous journalist. He wrote against the anti-Jewish marriage laws. He said that no Catholic publication could publish Nazi propaganda and still call itself Catholic. That led to his arrest and murder in the concentration camp in Dachau. I'd like to think I could be that honest and courageous about stuff when I become a journalist.

Mark E.

Fe en acción

Doctrina social de la Iglesia Católica

Las aguas del Bautismo, el fuego de la Confirmación y la nueva alianza de Dios de la Eucaristía llaman a todos los cristianos a promover la justicia. Como Jeremías, el ser joven y no tener experiencia no es excusa para no defender a las víctimas de la injusticia que nos encontramos a diario. Como el beato Tito Brandsma, con los ojos y el corazón abiertos para ver la injusticia y defender a las víctimas, podemos escribir acerca de nuestras preocupaciones. El que seamos jóvenes y estudiantes de escuela superior no nos impide escribir cartas al editor del periódico local expresando nuestras preocupaciones sobre los cuidados de salud, la educación o la vivienda de aquellos a quienes se les niegan esos derechos básicos.

Visiten la página **www.harcourtreligion.com** para descubrir más acerca de la doctrina social de la Iglesia Católica.

Respondamos
en fe

Mis reflexiones

Lo que quisiera hacer para lograr que este tiempo de preparación para la celebración del Sacramento de la Confirmación sea valioso para mí:

_____

_____

_____

_____

_____

Escriban una descripción de trabajo

Con un compañero o en un grupo pequeño conversen sobre los tipos de actividades, incluyendo la oración, que quisieran que sus padrinos de Confirmación realizaran con ustedes y para ustedes durante este tiempo de preparación. Luego de la conversación, escriban su propia descripción de trabajo personal para su padrino. Si necesitan ayuda acerca de las responsabilidades del padrino, lean "Cómo escoger un padrino" en la página 204.

ORACIÓN FINAL

Dios, tú que has sido siempre fiel,
nos has creado a tu imagen y semejanza;
nos has llamado por nuestro nombre
y siempre nos has amado a pesar de que te hemos sido infieles,
envía tu Espíritu Santo sobre nosotros para que seamos fieles
a nuestras promesas bautismales y vivamos como tus hijos.
Te lo pedimos en nombre de Jesucristo, tu hijo, que vive y reina contigo
en unidad del Espíritu Santo y en Dios por los siglos de los siglos.

Amén.

Catholic Social Teachings

The waters of Baptism, the fire of Confirmation, and God's new covenant of the Eucharist call all Christians to promote justice. Like Jeremiah, we can't use our age as an excuse for not speaking up for those victims of injustice that we encounter on our journey through life. Like Blessed Titus Brandsma, with our eyes and hearts open to see injustice and to care for its victims, we can put our concerns into writing. No junior high student is too young to write letters to the editor of the local newspaper expressing concerns about health care, education, or housing for those denied these basic rights.

 Visit **www.harcourtreligion.com** to discover more about Catholic social teachings.

Respond
in Faith

My Thoughts

The things I would like to do to make my preparation time for celebrating the Sacrament of Confirmation valuable for me:

_____

_____

_____

_____

_____

_____

Write a Job Description

With a partner or in a small group, discuss what sorts of activities, including prayer, that you want your Confirmation sponsor to do with and for you during this preparation time. After the discussion, write your own personal job description for your sponsor. For help on the role of the sponsor, read "Choosing a Sponsor" on page 205.

 CLOSING PRAYER

*God of all faithfulness,
you have made us in your image and likeness;
You have called us by name
and have continued to love us no matter what.
Send your Holy Spirit upon us that we may be faithful
to our baptismal promises and live as your children.
We ask this in the name of Jesus Christ, who is Lord.*

Amen.

Respondan
en fe

ÉNFASIS DE NUESTRO MISTERIO DE FE

Analicen juntos las siguientes verdades de la fe. Concéntrense en cómo estas verdades de la fe tienen o podrían tener hoy un efecto en sus vidas. Consulten la lección si es necesario.

- Hemos sido creados a imagen y semejanza de Dios.
- El pecado original rompió nuestra relación con Dios, entre nosotros y con toda la creación.
- Como signo y origen de la presencia de Dios en el mundo, la Iglesia es un sacramento.

ÉNFASIS DEL RITO

Durante la celebración, los candidatos renovaron sus promesas bautismales. Para finalizar la sesión vayan a las páginas 2 y 4 y renueven sus promesas bautismales.

Actúen juntos

Revisen en grupo la descripción de trabajo que elaboraron en la página 20 y repasen la sesión de la página 204 "Cómo elegir a un padrino". Conversen acerca de las expectativas que tienen de sus padrinos. Preparen un plan sobre cómo, cuándo y qué harán para cumplir y apoyar sus objetivos mutuos.

SER CATÓLICO

Para el padrino o miembro de la familia: Analicen las siguientes citas de católicos famosos. Concéntrense en cómo aplicarlas en sus vidas.

"¿Cómo podemos vivir en armonía? Primero tenemos que saber que amamos con locura al mismo Dios".
— Santo Tomás de Aquino

compartan juntos

Para el padrino o miembro de la familia: Hagan una lista de tres o cuatro personas que ambos conocen y conversen acerca de la forma en que estas personas demuestran la imagen de Dios en la vida diaria.

_____

_____

_____

_____

_____

_____

_____

_____

_____

_____

_____

_____

_____

_____

Para el padrino o miembro de la familia: Reflexionen acerca de la diferencia que ha hecho en sus vidas el ser católico. Incluyan tales cosas como lo que ha significado en términos de su relación con Dios, su acercamiento hacia otras personas, la forma en que manejan sus responsabilidades en su vocación, cómo manejan las cuestiones éticas y las alegrías y tristezas de la vida.

66 **Tenemos el presentimiento de que Dios nos acompaña en nuestro peregrinar** 99.

— Santa Teresa de Ávila

66 **Dios no es soledad, sino comunión perfecta. Por eso, la persona humana, la imagen de Dios, se realiza en el amor, que es un don sincero del ser** 99.

— Papa Benedicto XVI

✦ Respond
in Faith Together

FAITH FOCUS

Discuss the following beliefs together.
Focus on how these beliefs have or could
have an effect on your lives today.
Refer to the lesson if necessary.

- We are made in the image and likeness of God.

- Original sin brought sin into the world and placed humankind in disordered relationships with God, one another, and creation.

- As a sign and source of God's presence in the world, the Church is a sacrament.

RITUAL FOCUS

During the celebration, the candidates
renewed their baptismal promises.
At the end of your time together,
turn to pages 3 and 5 and renew your
baptismal promises together.

ACT TOGETHER

Together review the job description that the candidate completed on page 21 and go over "Choosing a Sponsor" on page 205. Discuss any of the expectations that you as a sponsor have. Together make a plan on how, when, and what you will do to meet and support your mutual goals.

BEING CATHOLIC

To the Sponsor or Family Member: Discuss these quotes from famous Catholics. Focus on how they apply to your life.

❝ How can we live in harmony? First we need to know we are all madly in love with the same God. ❞
— Saint Thomas Aquinas

To the Sponsor or Family Member: Make a list of three or four people with whom both of you are acquainted and discuss how these people show the image of God in their daily lives.

_____

_____

_____

_____

_____

_____

_____

_____

_____

_____

_____

_____

_____

_____

_____

_____

_____

_____

To the Sponsor or Family Member: Reflect on the difference that being a Catholic has made in your life. Include such things as what it has meant in terms of your relationship with God, your approach to other people, the way you handle responsibility in your vocation, how you deal with ethical questions, or joys and sorrows in your life.

" The feeling remains that God is on the journey, too. "
— Saint Teresa of Ávila

" God is not solitude, but perfect communion. For this reason the human person, the image of God, realizes himself or herself in love, which is a sincere gift of self. "
— Pope Benedict XVI

2

Creer
con el Espíritu

Rito de apertura
Procesión con la Sagrada Escritura

🎵 *Cantemos.*

Líder: Oremos.

Todos: *Hagamos la señal de la cruz.*

Líder: Señor, nuestro Dios, nos reunimos como un pueblo que cree en ti y en tus promesas. Abre nuestros corazones para conocerte mejor y creer en ti plenamente. Guíanos para que podamos reconocerte cuando te manifiestas a través del Espíritu Santo. Te alabamos y damos gracias por el don de nuestra fe y la presencia del Espíritu Santo entre nosotros y en nosotros.

Todos: Amén.

Celebración de la Palabra

Líder: Lectura del santo Evangelio según San Mateo.

Todos: Gloria a ti, Señor.

Líder: *Leamos Mateo 17, 14-21.* Palabra del Señor.

Todos: Gloria a ti, Señor Jesús.

Reflexionemos en silencio.

 ¿Qué nos dice el Evangelio acerca del poder de la fe? ¿Qué imagen de la naturaleza usan para describir tu fe?

Believe
with the Spirit

Gathering Rite
Procession with the Word

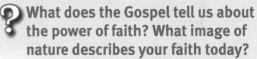 *Sing together.*

We believe, we believe, we believe.

"We Believe," © 1993, 1994, Bernadette Farrell.
Published by OCP Publications

Leader: Let us pray.

All: *Pray the Sign of the Cross together.*

Leader: Lord, our God, we gather together as a people who believe in you and your promises. Open our hearts to know you more and believe in you more fully. Guide us to seek and find you as you continue to make yourself known to us through the Holy Spirit. We give you praise and thanks for the gift of our faith and the presence of the Holy Spirit in us.

All: Amen.

Celebration of the Word

Leader: A reading from the holy Gospel according to Matthew.

All: Glory to you, Lord.

Leader: *Read Matthew 17:14–21.* The Gospel of the Lord.

All: Praise to you, Lord Jesus Christ.

Reflect silently.

What does the Gospel tell us about the power of faith? What image of nature describes your faith today?

Recibimiento del cirio

Pasen al frente cuando se les indique.

Líder: Padre celestial, en el Bautismo recibimos la fe de la Iglesia y la Luz de Cristo. Escucha nuestra oración mientras recordamos nuestro Bautismo y buscamos aumentar nuestra fe. Te lo pedimos por medio de tu Hijo, Jesús, que vive y reina contigo en unidad del Espíritu Santo por los siglos de los siglos.

Todos: Amén.

Líder: [Nombre], recibe la Luz de Cristo, camina siempre como Hijo de la Luz y mantén la llama de la fe encendida y viva en tu corazón. *Respondemos:* **Así lo haré.**

Peticiones

Líder: Oremos.
Respondemos: **Señor, escucha nuestra oración.**

Lector 1: Para que lleguemos a una apreciación más profunda de la fe que recibimos en el Bautismo, te lo pedimos, Señor.

Lector 2: Para que Dios nos bendiga y abra nuestros ojos y corazones, y así podamos creer en Él plenamente y amarle con mayor fidelidad, te lo pedimos, Señor.

Lector 3: Para que encontremos en esta comunidad de fe, apoyo y fortaleza para vivir como Hijos de la Luz, te lo pedimos, Señor.

Lector 4: Para que seamos más sensibles a las necesidades de los demás, te lo pedimos, Señor.

Líder: Oremos como Jesús nos enseñó.

Oremos el Padrenuestro.

¡Evangelicemos!

Líder: Dios, nuestro Padre amoroso, nos dirigimos a ti inspirados por nuestra fe. Envía a tu Espíritu Santo para que podamos dar testimonio de esa fe a todos los que nos rodean. Te lo pedimos por Cristo, nuestro Señor, que vive y reina contigo en unidad del Espíritu Santo por los siglos de los siglos.

Todos: Amén.

 Repitamos el canto de entrada.

Receiving a Candle

Come forward as directed.

Leader: Heavenly Father, at Baptism, we entered into the faith of the Church. We received the Light of Christ. Hear our prayer as we recall our Baptism and seek to deepen our faith. We ask this through your Son, Jesus, who lives and reigns with you and the Holy Spirit forever.

All: Amen.

Leader: [Name], receive the Light of Christ, walk always as a child of the light and keep the flame of faith burning and alive in your heart. *Respond:* **I will.**

General Intercessions

Leader: Let us pray.
The response is **Hear us, O Lord.**

Reader 1: That we will come to a deeper appreciation of the faith we received at Baptism, we pray to the Lord.

Reader 2: That God will bless us with open eyes and hearts that will come to believe in him more fully and love him more faithfully, we pray to the Lord.

Reader 3: That we will find, in this community of faith, support and strength to live as children of the light, we pray to the Lord.

Reader 4: That in faith we will become more responsive to the needs of others, we pray to the Lord.

Leader: Let us pray as Jesus has taught us:

Pray the Lord's Prayer together.

We Go Forth

Leader: God, our Loving Father, we stand before you in faith. Send your Holy Spirit that we may act as witnesses of that faith to those around us. We ask this through Christ our Lord.

All: Amen.

 Sing again the opening song.

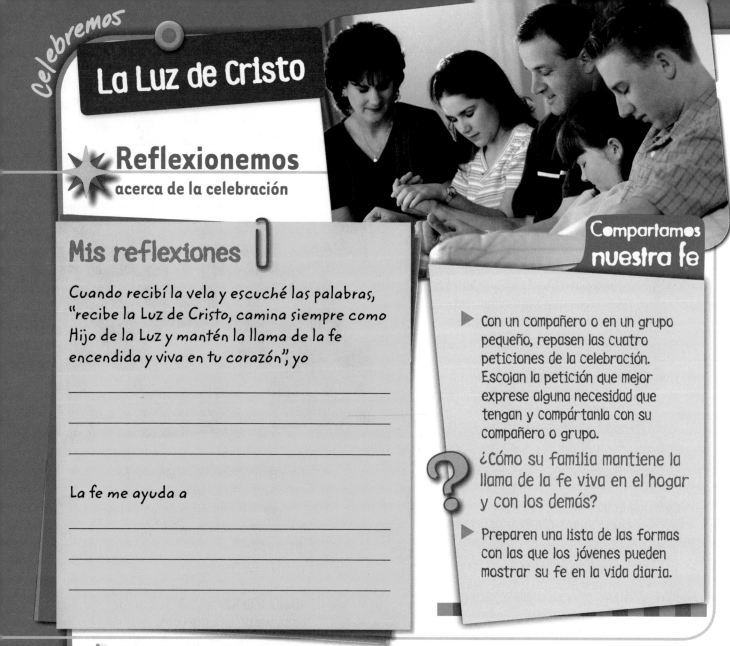

La Luz de Cristo

⭐ Reflexionemos
acerca de la celebración

Mis reflexiones

Cuando recibí la vela y escuché las palabras, "recibe la Luz de Cristo, camina siempre como Hijo de la Luz y mantén la llama de la fe encendida y viva en tu corazón", yo

_____

_____

_____

La fe me ayuda a

_____

_____

_____

Compartamos nuestra fe

▶ Con un compañero o en un grupo pequeño, repasen las cuatro peticiones de la celebración. Escojan la petición que mejor exprese alguna necesidad que tengan y compártanla con su compañero o grupo.

? ¿Cómo su familia mantiene la llama de la fe viva en el hogar y con los demás?

▶ Preparen una lista de las formas con las que los jóvenes pueden mostrar su fe en la vida diaria.

✝ SIGNOS DE FE

Cirio pascual Otro nombre que se le da al cirio pascual es cirio de Pascua. El cirio pascual es una vela alta y blanca. Durante la Vigilia de Pascua, el sacerdote talla una cruz en el cirio y escribe las letras griegas alfa sobre la cruz, y omega debajo de la cruz. Estas letras son símbolos de que Jesús es el principio y el fin. Luego talla los números del presente año en el cirio y lo enciende con el fuego pascual. Mientras la iglesia todavía está oscura, el cirio pascual se lleva en procesión hacia el altar principal como símbolo de Cristo resucitado. Para encender los cirios de la asamblea, primero se enciende un cirio con el cirio pascual y luego se enciendan los otros cirios con éste.

? El acto de encender el cirio pascual en la Vigilia de Pascua nos relata una historia de fe. Enumeren las partes de la historia que consideran importantes.

_____

_____

_____

_____

_____

_____

_____

Light of Christ

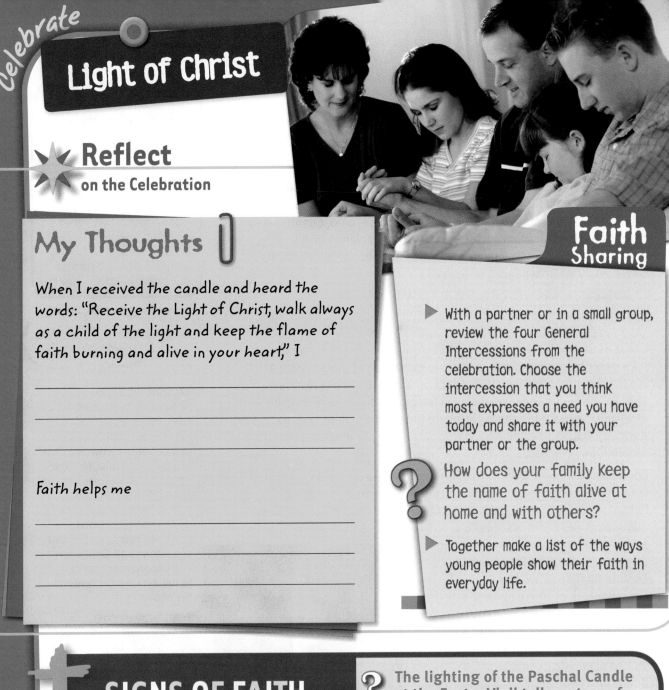

⭑ Reflect
on the Celebration

My Thoughts 📎

When I received the candle and heard the words: "Receive the Light of Christ, walk always as a child of the light and keep the flame of faith burning and alive in your heart," I

_____

_____

_____

Faith helps me

_____

_____

_____

Faith Sharing

▶ With a partner or in a small group, review the four General Intercessions from the celebration. Choose the intercession that you think most expresses a need you have today and share it with your partner or the group.

❓ How does your family keep the name of faith alive at home and with others?

▶ Together make a list of the ways young people show their faith in everyday life.

SIGNS OF FAITH

Paschal Candle Another name for the Paschal Candle is the Easter candle. It is a tall, white candle. During the Easter Vigil, the priest cuts a cross in the candle and traces the Greek letters Alpha above the cross and Omega below, which symbolizes that Jesus is the beginning and the end. Then he carves the numerals of the calendar year into the candle and lights the candle from the Easter fire. While the church is still in darkness, the Paschal Candle is carried in procession into the church as a symbol of the Risen Christ. The candles of the assembly are lit from the Paschal Candle.

❓ The lighting of the Paschal Candle at the Easter Vigil tells a story of faith. List what you think are the important parts of the story.

_____

_____

_____

_____

_____

_____

_____

_____

31

Iluminados por Cristo

Durante el Bautismo de un niño, el sacerdote o el diácono hace referencia al cirio pascual, que representa la presencia de Cristo resucitado en el mundo, y dice: "Recibe la Luz de Cristo". Entonces, uno de los padres o padrinos enciende el cirio bautismal del niño con la llama del cirio pascual. El celebrante pide a los padres y padrinos que mantengan la luz "brillando intensamente" y ora para que la "llama de la fe" se mantenga viva en el corazón del niño. Cuanto más conozca el niño a Cristo resucitado y más vaya creciendo en su relación con Él, mayor será su fe y con mayor facilidad se identificará con la vida y las enzeñanzas de Jesús.

La fe y la luz

La luz es una de las muchas imágenes y palabras que la Iglesia usa para describir el misterio de la fe. La **fe** es nuestra respuesta libre a Dios, quien primero comparte su gran regalo de amor, y la respuesta a todo lo que Él nos comunica sobre sí mismo mediante la revelación. **Revelación** implica la comunicación de Dios sobre sí mismo en el Antiguo y Nuevo Testamento y, particularmente, por medio de su propio Hijo, Jesucristo.

Comenzamos a ver y a comprender mejor la vida a través de la luz de la fe. Podemos entender con más claridad lo que hemos sido llamados a ser y a hacer como discípulos. La fe es una manera de ver: iluminados por Cristo resucitado y guiados por el Espíritu Santo llegamos a ver al mundo como Dios lo ve. El Espíritu Santo nos ayuda a ver y a escuchar con los ojos y los oídos de la fe. Por medio de la fe podemos descubrir nuevas posibilidades para nosotros y nuevas fortalezas y talentos. Vemos al mundo de una forma diferente a la de aquellos que no creen.

> ### COMPARTAMOS
> ESTOS PUNTOS
>
> Con un compañero o en un grupo pequeño, recuerden alguna ocasión en que se haya ido la luz y se hayan quedado a oscuras. Si esto nunca les ha pasado, imaginen cómo se sentirían si les pasara. Compartan su experiencia y cómo se sintieron o podrían sentirse. ¿Qué hicieron o harían para salir de la oscuridad?

> ### REFLEXIONEMOS
> SOBRE ESTOS PUNTOS
>
> Algunas veces no comprendemos cómo o por qué nos pasa algo. Piensen en algún momento en que no supieron hacer algo, por ejemplo, resolver un problema de matemáticas, o no supieron por qué alguien hizo alguna obra buena en favor de ustedes. ¿Qué les ayudó a entender esa situación? Comparen esa experiencia con cómo la fe los ayuda a comprender las cosas.

> ### COMPARTAMOS
> ESTOS PUNTOS
>
> ¿Porqué la fe los ayuda a ver las cosas de manera diferente a las personas que no tienen fe?

Enlightened by Christ

During the Baptism of a child, the priest or deacon refers to the Easter candle, which represents the presence of the Risen Christ in the world, and says "Receive the Light of Christ." Then one of the parents or godparents lights the child's baptismal candle from the Easter candle. The presider tells the parents and godparents to keep the light "burning brightly." He prays that the "flame of faith" will be kept alive in the child's heart. The more the child comes to know the Risen Christ and grows in relationship with him, the more faith grows and the more he or she sees things through the life and teachings of Jesus.

Faith and Light

Light is one of the many images and words the Church uses to describe the mystery of faith. **Faith** is our free response to God, who first shares his great gift of love, and to all that he tells us about himself in revelation. **Revelation** involves God's communication of himself in the Old and New Testaments, and especially through his own Son, Jesus Christ.

We begin to see and understand life better through the light of faith. We can see what we are called to be and do as disciples. Faith is a way of seeing—enlightened by the Risen Christ and guided by the Holy Spirit, we grow to see the world as God does. The Holy Spirit helps us see and hear with the eyes and ears of faith. Through faith, we can discover new possibilities for ourselves and new strengths and talents. We see the world in a different way from those who do not believe.

TALK ABOUT IT

With a partner or small group, recall an experience when the lights went out and you were stuck in the dark. If this has never happened to you, imagine what it might feel like. Share the experience and how it felt or might feel. How did you or would you find your way out of the darkness?

THINK ABOUT IT

Sometimes we just do not understand how or why something is happening. Think about a time when you were clueless about something, such as how to do a math problem or why someone did something good for you. What was it that helped you to understand? Compare that to how faith helps you understand things.

TALK ABOUT IT

How does your faith help you see things differently from people who do not have faith?

Ver y creer

COMPARTAMOS
ESTOS PUNTOS

Con un compañero o en un grupo pequeño busquen respuestas a la pregunta de Énfasis de nuestro misterio de fe. Prepárense para dar ejemplos de sus propias experiencias.

ÉNFASIS DE NUESTRO MISTERIO DE FE

¿Qué hace la fe?

El Evangelio de San Juan usa muchos símbolos e imágenes para describir la Buena Nueva y el reino. La luz y la oscuridad son dos de estos símbolos. Al principio del Evangelio, escuchamos que Jesús fue la luz que vino a la oscuridad. Luego leemos que cuando Jesús instruyó a Nicodemo acerca de la fe, Jesús volvió a hablar sobre la luz y las tinieblas y se refirió a sí mismo como la luz del mundo. Cuando leemos en la Sagrada Escritura la historia del hombre que nació ciego, encontramos que Jesús usó los símbolos de la luz, la oscuridad y la vista para enseñar acerca del misterio de nuestra fe. El pueblo judío no creyó el testimonio del hombre ciego acerca de Jesús y lo echó del pueblo. Jesús lo encontró y le dijo:

✝ LA SAGRADA ESCRITURA

"¿Tú crees en el Hijo del Hombre?" Le contestó: "¿Y quién es, Señor, para que crea en él?" Jesús le dijo: "Tú lo has visto, y es el que está hablando contigo". Él entonces dijo: "Creo, Señor". Y se arrodilló ante él. Jesús añadió: "He venido a este mundo para llevar a cabo un juicio: los que no ven, verán, y los que ven, se volverán ciegos".

Juan 9, 35-39

Quizás fue más fácil para el hombre que nació ciego creer en Jesús porque tuvo la experiencia del **milagro** en el que se le devolvió la vista. Sin embargo, los fariseos vieron el milagro y aún así no creyeron. La fe es un don de Dios, pero tiene dos aspectos. Dios continúa dando a conocer su presencia y llamando a los seres humanos a tener una relación fiel con Él. Nosotros tenemos que reconocer su presencia y responder a ella.

❓ **¿Cuándo han reconocido y respondido al llamado de Dios a la fe?**

Seeing and Believing

✝ SCRIPTURE

GO TO THE SOURCE
John 1:1–5, 3:1–21, 9:1–40

TALK ABOUT IT

With a partner or in a small group, brainstorm responses to the Faith Focus question. Be prepared to give examples from your own experience.

FAITH FOCUS

What does faith do?

The Gospel of John uses many symbols and images to describe the Good News and the kingdom. Light and darkness are two of these symbols. In the beginning of the Gospel, we hear that Jesus was a light that came into darkness. Later we read that when Jesus instructed Nicodemus about faith, Jesus talked about light and darkness again and referred to himself as the light of the world. In the story of the Man Born Blind, Jesus used light, darkness, and seeing to teach about the mystery of faith. The Jewish people would not believe the man's testimony about Jesus. They drove him out of the town. Jesus found him and said:

✝ SCRIPTURE

"Do you believe in the Son of Man?" He answered, "And who is he, sir? Tell me, so that I may believe in him." Jesus said to him, "You have seen him, and the one speaking with you is he." He said, "Lord, I believe." And he worshiped him. Jesus said, "I came into this world for judgment so that those who do not see may see, and those who do see may become blind."

John 9:35–39

Maybe it was easier for the man born blind to believe in Jesus because he had experienced the **miracle** of having his sight restored. But the Pharisees had seen the miracle, and they still did not believe. Faith is a gift of God, but it has two sides. God continues to make known his presence and to call humans to a faithful relationship with him. We must choose to recognize and respond to his presence.

❓ **When have you recognized and responded to God's call to faith?**

La fe y el temor

Los fariseos no fueron los únicos que tuvieron dificultad para creer en Jesús; algunas veces, los apóstoles también se cuestionaron y dudaron.

Jesús calma la tempestad

esús subió a la barca y sus discípulos le siguieron. Se levantó una tormenta muy violenta en el lago, con olas que cubrían la barca, pero él dormía. Los discípulos se acercaron y lo despertaron diciendo: "¡Señor, sálvanos, que estamos perdidos!".

Pero él les dijo: "¡Qué miedosos son ustedes! ¡Qué poca fe tienen!". Entonces se levantó, dio una orden al viento y al mar, y todo volvió a la más completa calma.

Grande fue el asombro; aquellos hombres decían: "¿Quién es éste, que hasta los vientos y el mar le obedecen?"

Mateo 8, 23-27

? ¿Cuál es el mensaje que Jesús les dio a los apóstoles acerca de la fe en este pasaje de la Sagrada Escritura?

? ¿Cómo puede esta lectura ayudarles a profundizar en su fe?

Compartamos

la Palabra

Con un compañero o en un grupo pequeño seleccionen dos de los siguientes pasajes de la Sagrada Escritura. Lean y conversen acerca de lo que les dicen sobre la fe. Luego, escriban un párrafo debajo de las citas bíblicas.

Mateo 14, 28-33	Marcos 4, 35-42	Juan 20, 24-29
Mateo 15, 21-28	Lucas 18, 35-43	Hechos 3, 1-10
Mateo 26, 69-75	Juan 14, 1-26	Hebreos 11, 1-2

Estas citas bíblicas me han ayudado a comprender que la fe y creer _____

_____

_____

_____

REFLEXIONEMOS SOBRE ESTOS PUNTOS

¿Qué acontecimientos y/o incidentes en sus vidas los han ayudado a creer en Jesús? ¿Qué cosas podrían haber provocado que les fuera más difícil creer?

Faith and Fear

The Pharisees were not the only people who had a difficult time believing in Jesus; sometimes the Apostles questioned and doubted.

THINK
ABOUT IT

What events and/or occurrences in your life have helped you believe in Jesus? What things might have made it more difficult to believe?

Jesus Stills the Storm

And when he got into the boat, his disciples followed him. A windstorm arose on the sea, so great that the boat was being swamped by the waves; but he was asleep. And they went and woke him up saying, "Lord, save us! We are perishing!"

And he said to them, "Why are you afraid, you of little faith?" Then he got up and rebuked the winds and the sea; and there was a dead calm.

They were amazed, saying, "What sort of man is this, that even the winds and the sea obey him?"

Matthew 8:23–27

? What is Jesus' message to the Apostles about belief?

? How can this reading help your faith?

Share
the Word

With a partner or in a small group, select two of the Scripture passages below. Read and discuss what they tell you about faith. Then write a paragraph to complete the open-ended sentence that follows.

Matthew 14:28–33	Mark 4:35–42	John 20:24–29
Matthew 15:21–28	Luke 18:35–43	Acts 3:1–10
Matthew 26:69–75	John 14:1–26	Hebrews 11:1–2

These Scriptures helped me see that faith and believing _____

_____

_____

_____

37

ÉNFASIS DE NUESTRO MISTERIO DE FE

¿Qué papel juega la comunidad en el desarrollo de nuestra fe?

La fe es una relación con Dios para toda la vida. Cada uno de nosotros tiene una relación única y muy personal con Él. A medida que vayan profundizando en su fe, verán las cosas desde un punto de vista diferente. Crecerá su confianza en Dios, se sentirán más unidos a Él y comprenderán mejor el plan que tiene para ustedes y para el mundo. Esto es lo que celebran los Sacramentos de Iniciación: una nueva relación y la profundización de sus lazos con Dios y con la Iglesia.

Fe comunitaria

La fe y la celebración de los Sacramentos de Iniciación son mucho más que actos personales: son acciones de la Iglesia. De la misma forma que no podemos vivir solos, tampoco podemos creer solos. Recibimos la fe de Dios por medio de otras personas, como nuestros padres y otros familiares, y nosotros se la pasamos a otras personas. Todos somos eslabones en la cadena de la fe. La fe tiene un aspecto **comunitario** importante: somos llevados por la fe de los demás y apoyamos a otros en la fe por medio de nuestras creencias, oraciones y acciones. Es a través de la comunidad de la Iglesia que nuestra fe se alimenta y sostiene.

La Iglesia

- **nos enseña el lenguaje de la fe por medio de la oración y las doctrinas (enseñanzas oficiales).**
- **preserva y nos recuerda las palabras y acciones de Jesús en la Sagrada Escritura y en los sacramentos.**
- **proclama y mantiene los misterios de fe en el credo.**

Crecemos tanto en nuestra fe personal como en la comunitaria, guiados por la Iglesia e inspirados por el Espíritu Santo y a través de acciones como las siguientes:

- **en nuestra vida de oración**
- **cuado leemos y meditamos acerca de la Sagrada Escritura**
- **cuando participamos en los actos religiosos de la Iglesia, especialmente en los sacramentos**
- **cuando servimos a los necesitados**

COMPARTAMOS ESTOS PUNTOS

Uno de los nombres que se le da a la Iglesia es el de *Madre*. ¿Cómo ha sido la Iglesia una madre para ti? ¿Cómo te ha ayudado a profundizar tu fe?

REFLEXIONEMOS SOBRE ESTOS PUNTOS

¿Por qué creen que sería difícil creer solos sin otras personas que compartan nuestra fe?

38

Personal Faith

What is the role of the community in faith development?

Faith is a lifelong relationship with God. Each of us has a very personal and unique relationship with him. As your faith continues to deepen, you will see things from a different point of view. You will grow in your trust of God and feel more connected to him and his plan for you and the world. This is what the Sacraments of Initiation celebrate—your new connections and deepening bonds with God and the Church.

Communal Faith

While faith and the celebration of the Sacraments of Initiation are personal acts, they are much more than that. They are actions of the Church. Just as we cannot live alone, we cannot believe alone. We receive our faith from God through other people like our parents and family members, and we hand it on to others. We are all links in the chain of faith. Faith has an important **communal** aspect—we are carried by the faith of others, and we support others in faith through our beliefs, prayers, and actions. It is through the community of the Church that our faith is fed and supported.

The Church

- **teaches us the language of faith through prayer and doctrines (official teachings)**
- **preserves the memory of Jesus' words and actions in the Scriptures and sacraments**
- **proclaims and maintains the mysteries of faith in the creeds**

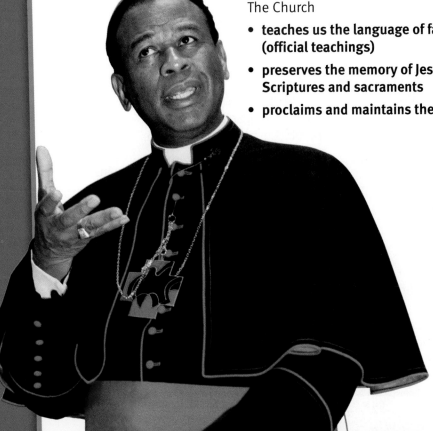

Guided by the Church and inspired by the Holy Spirit, we grow in both our personal and communal faith through actions such as these:

- **talking to God**
- **reading and thinking about the Scriptures**
- **participating in the communal worship of the church, especially in the sacraments**
- **going out in service to those in need**

TALK ABOUT IT

One of the names given to the Church is *Mother*. How has the Church been a mother for your faith?

THINK ABOUT IT

Why do you think it would be difficult to believe alone, without others who shared your faith?

Completar el Bautismo

El Espíritu Santo los ha acompañado en su peregrinación de fe desde que fueron bautizados. En la Confirmación serán bendecidos otra vez con los dones especiales del Espíritu Santo. La Confirmación es necesaria para completar la gracia del Bautismo. Durante la homilía, el obispo o sacerdote, les recordará su Bautismo. Les hablará de la importancia de que respondan a la fe durante toda su vida. Con estas palabras o con otras similares les dirá lo siguiente:

> *Ustedes, pues, que ya han sido consagrados a Dios por el Bautismo, van a recibir ahora la fuerza del Espíritu Santo y serán marcados en su frente con el signo de la cruz. Por consiguiente, deberán dar ante el mundo testimonio de la muerte y Resurrección de Cristo. Esto lo conseguirán si su vida diaria es ante los hombres como el buen olor de Cristo. . .*
>
> *Procuren, pues, queridos hermanos, ser siempre miembros vivos de la Iglesia y esfuércense, conducidos por el Espíritu Santo, en ser los servidores de todos los hombres, a semejanza de Cristo, que no vino a ser servido sino a servir.*
>
> *Ahora, antes de recibir el don del Espíritu Santo, conviene que renueven personalmente la profesión de fe, que sus padres y sus padrinos hicieron, en unión con toda la Iglesia, el día de su Bautismo, y renuncien a todo lo que aparta del Reino de Dios, prometiendo seguir a Jesucristo con la fidelidad de los Apóstoles y los mártires.*

Ritual para la confirmación, 22

El Sacramento de la Confirmación los une más a la Iglesia y les da una fuerza especial del Espíritu Santo, que los ayudará a compartir su fe.

COMPARTAMOS ESTOS PUNTOS

Imagínense que su diócesis va a regalar tres viajes con todos los gastos pagos por el Día Mundial de la Juventud. Los jóvenes serán escogidos por sus compañeros como testigos de fe y espíritu de servicio. Les han pedido a sus grupos que escriban los requisitos para el proceso de nominación. ¿Qué características creen que deben tener los jóvenes que son nominados para estos premios?

SÍMBOLO DEL ESPÍRITU SANTO

Nube y luz Cuando el Señor se revela en el Antiguo Testamento, por lo general lo hace por medio de una luz que resplandece. Por ejemplo: Moisés en el Monte Sinaí *(Éxodo 24, 15-18)*, en el desierto *(Éxodo 40, 36-38)*, la nube que revela a Yavé es tan radiante como opaca. En el Nuevo Testamento, el Espíritu Santo "cubrió con su sombra" a la Virgen María en la Anunciación *(Lucas 1, 35)*; en la Transfiguración, la nube cubrió a Jesús, Moisés y Elías *(Lucas 9, 34-35)*; Pedro, Santiago y Juan oyen una voz desde la nube que dice: "Éste es mi Hijo, mi Elegido; escúchenlo" *(Lucas 9, 35)*.

? La nube y la luz parecen ser dos imágenes casi opuestas. Según sus experiencias, ¿por qué creen que estas imágenes son buenas para referirse al Espíritu Santo?

_____

_____

_____

_____

_____

_____

_____

Completion of Baptism

The Holy Spirit began the journey of faith with you at Baptism. In Confirmation you will again be blessed with the special Gifts of the Holy Spirit. Confirmation is necessary for the completion of the grace of Baptism. During his homily, the bishop or priest who will confirm you will remind you of your Baptism. He will talk about the importance of your responding to faith in your life.

In these or similar words he will say the following:

> *You have already been baptized into Christ and now you will receive the power of his Spirit and the Sign of the Cross on your forehead. You must be witnesses before all the world to his suffering, death, and Resurrection; your way of life should at all times reflect the goodness of Christ . . .*

> *Be active members of the Church, alive in Jesus Christ. Under the guidance of the Holy Spirit, give your lives completely in the service of all, as did Christ who came not to be served but to serve.*

> *So now before you receive the Spirit, I ask you to renew the profession of faith you made in Baptism or your parents or godparents made in union with the whole Church.*

Rite of Confirmation, 23

The Sacrament of Confirmation joins you more closely to the Church and gives you a special strength of the Holy Spirit, which will help you share your faith in word and action.

TALK ABOUT IT

Imagine that your diocese is going to award three all-expense-paid trips to World Youth Day. The young people will be chosen by their peers as witnesses of faith and service. Your group has been asked to write the requirements for the nomination process. What would you include as essential for the young people to be nominated for these awards?

SYMBOL OF THE HOLY SPIRIT

Cloud and Light In the Old Testament, the images of cloud and light often appear together when the Lord is revealing himself. With Moses on Mount Sinai *(see Exodus 24:15–18),* and the wandering in the desert *(see Exodus 40:36–38),* the cloud that reveals Yahweh is both radiant and murky. In the New Testament, the Holy Spirit "overshadows" the Virgin Mary at the Annunciation *(see Luke 1:35);* at the Transfiguration *(see Luke 9:34–35)* the cloud overshadows Jesus, Moses, and Elijah; Peter, James, and John hear a voice from the cloud that says: "This is my Son, my Chosen; listen to him!" *(Luke 9:35).*

? Cloud and light seem almost to be opposites. From your experience, why do you think these are good images for the Holy Spirit?

_____

_____

_____

_____

_____

_____

_____

_____

Testimonio de fe

Datos biográficos

Ita Ford

1940   Ita nace en Brooklyn, Nueva York.

1960   Se gradúa de la Universidad de Marymount.

1961   Ingresa a la congregación Hermanas Maryknoll.

1964   Ita se retira de Maryknoll debido a problemas de salud y trabaja por un tiempo como editora.

1971   Vuelve a solicitar ingreso en Maryknoll y la aceptan.

1972   Es asignada a las misiones en Chile y se va con su amiga, la hermana Carla.

1980   En marzo Ita y Carla responden a una llamada que desde El Salvador hizo el Obispo Oscar Romero justamente antes de ser asesinado. En junio comienzan a trabajar en el Comité de Emergencia para Refugiados (Emergency Refugee Committee) en Chalatenango. En agosto, mientras llevan a un preso político de regreso a su casa, las sorprende una inundación repentina. Carla se ahoga después de salvar a Ita. La misionera Maura Clarke es enviada para acompañar a Ita en la misión. En diciembre, Ita, Maura, Dorothy Kazel y Jean Donovan son torturadas y asesinadas por haber ayudado al pueblo de El Salvador.

"¿Estoy dispuesta a sufrir con esta gente? ¿Puedo decirles a mis vecinos que no tengo la solución para esta situación; que no conozco las respuestas, pero que caminaré con ellos, buscaré información con ellos y estaré con ellos?"

Practiquemos nuestra fe

Mi nombre de Bautismo es Ita, en honor a mi abuela, quien es una gran persona y muy divertida. La quiero mucho sin embargo, no me gustaba el nombre de Ita porque era muy diferente a los nombres de los demás. Cuando me estaba preparando para la confirmación, el catequista nos dio la asignación de buscar quién era nuestro santo patrón. Mi abuela ya me había contado sobre Santa Ita, una monja irlandesa del siglo V, pero no lograba identificarme con ella. Busqué en la Internet y encontré la historia de Ita Ford y de otras mujeres que murieron con ella en El Salvador. Ella se llamaba igual que yo y me di cuenta que era una persona a la que podía comprender y con quien me podía identificar. Leí más sobre su vida y descubrí que sus amigos decían que tenía una "personalidad optimista". Era divertida aun cuando su vida de misionera no era fácil. No tuvo visiones; tenía preguntas y dudaba de si debía o no quedarse en las misiones donde trabajaba con los pobres. Quería hacer lo correcto aunque fuera difícil. La escogí para ser mi patrona. Me encomiendo a ella porque me identifico con ella. Quiero ser buena y servir a Dios, pero tampoco sé la solución a todos los problemas del mundo.

Ita Q.

Witness of Faith

Bio Stats

Ita Ford

1940   Ita is born in Brooklyn, New York.

1960   She graduates from Marymount College.

1961   She enters the Maryknoll Sisters.

1964   Ita leaves Maryknoll due to health problems and works awhile as an editor.

1971   She reapplies to Maryknoll and is accepted.

1972   Assigned to the missions in Chile, Ita goes with her friend, Sister Carla.

1980   In March, Ita and Carla respond to a call from El Salvador's Bishop Oscar Romero—just before his assassination. In June, they begin working at the Emergency Refugee Committee in Chalatenango. In August, while returning a political prisoner to his home, Ita and Carla are caught in a flash flood. Carla drowns after pushing Ita to safety. Maura Clarke becomes Ita's new missionary partner. In December, Ita, Maura, Dorothy Kazel, and Jean Donovan are tortured and murdered for helping the people of El Salvador.

"Am I willing to suffer with the people here, . . . Can I say to my neighbors, 'I have no solution to this situation; I don't know the answers, but I will walk with you, search with you, be with you'?"

Living It Out Today

My baptismal name is Ita. I was named after my grandmother who is a great person and fun to be around. I love her a lot, but I did not like having her name. It was so different from everyone else's. When I was being confirmed, my catechist gave us an assignment to look up our patron saint. My grandmother had already told me about Saint Ita who was an Irish nun in the fifth century. I just couldn't identify with her. I went online and found the story of Ita Ford and the women martyrs of El Salvador. Here was somebody with my name that I could understand and identify with. I read more about her and found out that her friends said she had "a buoyant personality." She was fun even though she had a difficult life as a missionary. She did not have visions. She had questions and wondered if she should stay in the missions where she worked with the poor. She wanted to do the right thing even though it was difficult. I chose this Ita to be my patron. I pray to her a lot because I want to be good and serve God, but I don't know the answers to all the problems in the world either.

Ita Q.   43

La solidaridad de la familia humana

La Luz de Cristo en nosotros a la edad de 13 años no puede ser tan brillante como la de Ita Ford a la edad de 32 años, o cuando comenzó su trabajo misionero con los pobres de Chile. Aun así, "¡voy a dejar que brille mi Luz!" Al igual que Ita Ford, podemos creer que Dios nos ha llamado a ser solidarios con los que sufren y para ello podemos comunicarnos con la Oficina de Asuntos Globales de Maryknoll para obtener información acerca de su trabajo en el extranjero y sobre cómo podemos involucrarnos en alguno de sus proyectos. Tal vez, si nos unimos con otras personas del mundo y trabajamos con fe y valentía, podemos comenzar a mover la montaña de la injusticia en nuestra sociedad.

Visiten la página **www.harcourtreligion.com** para descubrir más acerca de la doctrina social de la Iglesia Católica.

Respondamos

en fe

Mis reflexiones

Escriban un párrafo corto y expliquen cómo esta sesión los ayudó a ver la relación entre la fe y el Espíritu Santo.

_____

_____

_____

_____

_____

_____

Dibujen un mapa

Piensen en las personas y los acontecimientos de su vida como si fueran un viaje de fe. Dibujen un mapa e indiquen los lugares, caminos, paradas de descanso y desvíos que ya han sido parte de su viaje.

ORACIÓN FINAL

Ven, Espíritu Santo.
Abre mis ojos para que pueda ver los acontecimientos de mi vida a
*   través de los ojos de la fe.*
Abre mis oídos para que pueda oír cuando me habla la Palabra de Dios.
Abre mi corazón para que pueda amar más a Dios, quien me ha amado
*   primero.*
Abre mis manos y mueve mis pies en la fe para servir a los demás.
Te lo pedimos en el nombre de Jesucristo, nuestro Señor, que vive y
*   reina por los siglos de los siglos.*

Amén.

Solidarity of the Human Family

The Light of Christ in us at age thirteen may not be as bright as Ita Ford's at age thirty-two or when she began her missionary work with the poor in Chile. But "this light of mine, I'm gonna let it shine!" Like Ita Ford, we can choose to believe that God calls us to be in solidarity with others who are hurting. We can contact Maryknoll's Office of Global Concerns about their work overseas and find out how we can be in solidarity with one of their projects. Maybe together, with others around the world, we can work with such faith and courage that we will move the mountain of injustice at least a little in our lifetime.

Visit **www.harcourtreligion.com** to discover more about Catholic social teachings.

✴ Respond
in Faith

My Thoughts

Write a short paragraph explaining how this session helped you see the relationship between faith and the Holy Spirit.

_____

_____

_____

_____

_____

_____

Draw a Map

Think about the people and events of your life as a faith journey. Create a map of places, paths, rest stops, and detours that have been part of your journey.

CLOSING PRAYER

Come, Holy Spirit,
Open my eyes that I may see the events of my life through the eyes of faith.
Open my ears that I may hear the word of God spoken to me.
Open my heart that I may grow more in love with God who has loved me first.
Open my hands and move my feet in faith to serve others.
We ask this in the name of Jesus Christ, who is Lord.

Amen.

Respondan
en fe

ÉNFASIS DE NUESTRO MISTERIO DE FE

Conversen acerca de las siguientes verdades de la fe. Concéntrense en la forma en que estas verdades de la fe tienen o podrían tener hoy un efecto en sus vidas. Consulten la lección si es necesario.

- La fe está fundamentada en el gran don de la revelación que viene de Dios. Entre otras cosas, la revelación nos dice que Dios el Padre comunicó su ser y su plan para toda la creación al enviarnos a su propio Hijo, Jesús.

- La fe tiene dos aspectos: el llamado de Dios y nuestra respuesta.

- Ser miembros de la Iglesia fortalece y sostiene nuestra fe.

ÉNFASIS DEL RITO

Durante la celebración, los candidatos recibieron una vela y se les recordó el llamado a ser hijos de la luz. Para terminar nuestra sesión, oremos por cada uno de nosotros con estas palabras u otras similares:

Que Cristo siempre sea nuestra luz,
que andemos siempre como hijos de la luz,
que veamos la vida a través de los ojos de la fe,
que nuestro viaje de fe ilumine a los demás.

Amén.

Actúen juntos

Al finalizar la renovación de las promesas bautismales, el obispo o sacerdote dirá las siguientes palabras:

Ésta es nuestra fe. Ésta es la fe de la Iglesia, que nos gloriamos de profesar, en Jesucristo, nuestro Señor.

Ritual para la confirmación, 23

Seleccionen a dos personas de la comunidad parroquial que dan testimonio de su fe. Organicen una reunión con ellas para hablar sobre cómo cultivan su fe y por qué están orgullosas de profesarla en la vida diaria.

SER CATÓLICO

Para el padrino o miembro de la familia: Dialoguen sobre las siguientes citas de católicos famosos. Concéntrense en cómo se aplican a sus vidas.

❝ **La fe es creer lo que no se ve; la recompensa de la fe es ver lo que se cree** ❞.

— San Agustín

compArtAn juntos

Para el padrino o miembro de la familia: Recuerden las prácticas y disciplinas, tales como la oración diaria, algún tipo de meditación o la lectura de su devocionario preferido, que están haciendo o han hecho en el pasado y que les han ayudado a crecer en la fe. Si les resulta cómodo, compártanlas con sus candidatos y analicen algunas de las opciones que ellos tienen y cómo pueden utilizarlas para continuar o comenzar su crecimiento en la fe.

Para el padrino o miembro de la familia: Reflexionen sobre su propia jornada de fe. Recuerden a las personas y los acontecimientos que han sido importantes para la profundización de su fe.

❝ **La fe fuerte y vital es la base de todas las virtudes** ❞.
— Catherine McAuley

❝ **La fe tiene que ver con las cosas que no se ven, y la esperanza, con las cosas que no están a la mano** ❞.
— Santo Tomás de Aquino

Respond
in Faith Together

FAITH FOCUS

Discuss the following beliefs together.
Focus on how these beliefs have or could
have an effect on your lives today.
Refer to the lesson if necessary.

- Faith is based on God's great gift of revelation. Among other things, revelation tells us that God the Father communicated himself and his plan for all creation by sending us his own Son, Jesus.

- Faith has two sides: God's call and our response.

- Being a member of the Church strengthens and supports our faith.

RITUAL FOCUS

During the celebration, the candidates received a candle and were reminded of the call to be children of the light. At the end of your time together, pray together for one another using these or similar words:

May Christ always be our light,
May we walk always as children of the light,
May we see life through the eyes of faith,
May our journey of faith bring light to others.

Amen.

ACT TOGETHER

At the conclusion of the Renewal of Baptismal Promises, the bishop or priest will say these words:

This is our faith. This is the faith of the Church.
We are proud to profess it in Christ Jesus our Lord.

Rite of Confirmation, 23

Together select two persons from the parish community who are witnesses of faith. Set up a conversation with them to discuss how they nurture their faith and how and why they are proud to profess it in their daily lives.

BEING CATHOLIC

To the Sponsor or Family Member: Discuss these quotes from famous Catholics. Focus on how they apply to your life.

66 **Faith is to believe what you do not see; the reward of this faith is to see what you believe.** 99

— Saint Augustine

❝ **A strong, lively faith is the foundation of all virtue.** ❞
— Catherine McAuley

❝ **Faith has to do with things that are not seen, and hope with things that are not in hand.** ❞
— Saint Thomas Aquinas

sesión

3

Dotados por el Espíritu

Rito de apertura
Procesión con la Sagrada Escritura

 Cantemos.

Líder: Oremos.

Todos: *Hagamos la señal de la cruz.*

Líder: Señor, que el Ayudador, el Espíritu que viene de ti, llene nuestros corazones con luz y nos conduzca a toda la verdad, como prometió tu Hijo, porque Él vive y reina contigo y el Espíritu Santo, un Dios, por toda la eternidad.

Todos: Amén.

Misa votiva del Espíritu Santo

Celebración de la Palabra

Líder: Lectura de la Primera carta de Pablo a los corintios.
Leamos 1 Corintios 2, 6-13.
Palabra del Señor.

Todos: Demos gracias a Dios.

Reflexionemos en silencio.

? **¿Qué significa para ustedes "la sabiduría de Dios"? ¿Cómo podría ayudarles en la vida?**

session **3**

Gifted
with the Spirit

Gathering Rite
Procession with the Word

 Sing together.

Come, O Spirit of the Lord,
and renew the face of the earth,
O come, O Spirit of the Lord,
and renew the face of the earth.

"Come, O Spirit of the Lord," © 1996, Tom Kendzia and NALR.
Published by OCP Publications

Leader: Let us pray.

All: *Pray the Sign of the Cross*
together.

Leader: Lord, may the Helper, the Spirit
who comes from you, fill our
hearts with light and lead us to
all truth as your Son promised,
for he lives and reigns with you
and the Holy Spirit, one God,
forever and ever.

All: Amen.

Votive Mass of the Holy Spirit

Celebration
of the Word

Leader: A reading from the First Letter of
Paul to the Corinthians.
Read 1 Corinthians 2:6–13.
The word of the Lord.

All: Thanks be to God.

Reflect silently.

 What does "God's wisdom" mean
for you? How would it help you in
your life?

Líder: *Marque la frente de cada candidato con la señal de la cruz mientras dice:*
[Nombre], abre tu corazón para que el Espíritu Santo llegue a ti en su plenitud.

Peticiones

Líder: Oremos.

Respondemos: **Ven, Espíritu Santo.**

Lector 1: Para que lleguemos a una apreciación más profunda de la presencia del Espíritu Santo en nuestras vidas, oremos al Señor.

Lector 2: Para que el Espíritu Santo nos anime e ilumine a vivir como discípulos, oremos al Señor.

Lector 3: Para que el Espíritu Santo infunda su valentía a los hombres y mujeres jóvenes y los lleve a ser líderes en la Iglesia y en el mundo, oremos al Señor.

Lector 4: Para que el Espíritu Santo nos bendiga con la sabiduría que nos lleve a buscar y a escoger un estilo de vida que nos permita ser honestos y justos con nuestros hermanos y hermanas, oremos al Señor.

Líder: Oremos como Jesús nos enseñó.

Oremos el Padrenuestro.

¡Evangelicemos!

Líder: Dios, Padre amoroso, nos dirigimos a ti porque confiamos en ti. Concédenos la plenitud de tu Espíritu Santo para que podamos vivir en tu amor. Te lo pedimos por Jesucristo, nuestro Señor.

Todos: Amén.

 Repitamos el canto de entrada.

ÉNFASIS DEL RITO

Bendición

Pasen al frente cuando se les indique.

Líder: Padre, mientras tu Espíritu nos guía y tu tierno cuidado nos mantiene seguros, quédate cerca de nosotros en tu misericordia y oye a los que te llaman. Por tu bondad, fortalece y protege la fe de todos los que creen en ti. Te lo pedimos por medio de nuestro Señor Jesucristo, tu Hijo, que vive y reina contigo en unidad del Espíritu Santo, y es Dios, por los siglos de los siglos.

Todos: Amén.

Misa votiva del Espíritu Santo.

Leader: *Mark each candidate's forehead with the Sign of the Cross while saying:*
[Name], may you be open to the coming of the fullness of the Holy Spirit.

General Intercessions

Leader: Let us pray.

*The response is **Come, Holy Spirit.***

Reader 1: That we will come to a deeper appreciation of the presence of the Holy Spirit in our lives, we pray to the Lord.

Reader 2: That the Holy Spirit will enliven and enlighten us to live as disciples, we pray to the Lord.

Reader 3: That the Holy Spirit will pour out his courage on young men and women and raise them up as leaders in the Church and world, we pray to the Lord.

Reader 4: That the Holy Spirit will bless us with a wisdom that will allow us to search out and choose just and fair ways of living with all our brothers and sisters, we pray to the Lord.

Leader: Let us pray as Jesus has taught us:

Pray the Lord's Prayer together.

We Go Forth

Leader: God, our Loving Father, we stand before you in faith. We pray for the fullness of your Holy Spirit that we may live in your love. We ask this through Christ our Lord.

All: Amen.

 Sing again the opening song.

RITUAL FOCUS

Blessing

Come forward as directed.

Leader: Father, as your Spirit guides us and your loving care keeps us safe, be close to us in your mercy and listen to those who call on you. Strengthen and protect by your kindness the faith of all who believe in you. We ask this through our Lord Jesus Christ, your Son, who lives and reigns with you and the Holy Spirit, one God, forever and ever.

All: Amen.

Votive Mass of the Holy Spirit

El Espíritu Santo

⭐ Reflexionemos
acerca de la celebración

Mis reflexiones ０

Escriban un párrafo corto que exprese lo que aprendieron en la celebración sobre el Espíritu Santo.

_____
_____
_____
_____
_____
_____
_____
_____

Compartamos nuestra fe

▶ Con un compañero o en un grupo pequeño, repasen las cuatro peticiones. Compartan sus respuestas a la siguiente pregunta:

¿Con cuál de las cuatro peticiones se identifican más?

▶ Escojan una de las peticiones para hacer una gráfica que demuestre cambios de comportamiento en ustedes o su grupo si el Espíritu Santo contestara esa petición.
Por ejemplo: De: egoísmo
              A: la generosidad

SIGNOS DE FE

Imposición de las manos El gesto de poner las manos en o sobre algo o alguien para transmitir poder, deber o bendición es un gesto antiguo. Lo usó el patriarca Jacobo para bendecir a sus nietos, Efraím y Manasés (*Génesis 48, 14*). En las historias del Nuevo Testamento, Jesús con frecuencia imponía sus manos sobre las personas para curarlas. Los apóstoles imponían las manos sobre las personas recién bautizadas para que recibieran al Espíritu Santo (*Hechos 8, 17*). En la práctica católica actual, el gesto se usa para invocar al Espíritu Santo, particularmente durante la celebración de los sacramentos y otras formas de bendición o dedicación.

¿Cómo les afectó la experiencia de la imposición de las manos sobre sus cabezas y las palabras, "abre tu corazón para que el Espíritu Santo llegue a ti en su plenitud"?

_____
_____
_____
_____
_____
_____
_____
_____

The Holy Spirit

✦ Reflect
on the Celebration

My Thoughts

Write a short paragraph expressing what you learned from the celebration about the Holy Spirit.

_____

_____

_____

_____

_____

_____

_____

_____

_____

Faith Sharing

▶ With a partner or in a small group, review the four General Intercessions. Share your responses to the following:

? With which of the four intercessions do you most identify?

▶ Choose one of the intercessions and make a "From-To" chart, such as "from selfishness to generosity," that shows what would be different about you or your group if the Holy Spirit answered that prayer.

SIGNS OF FAITH

Laying on of Hands The gesture of holding one's hands on or over things or persons to transmit power, duty, or blessing is an ancient gesture. It was used by the Patriarch Jacob to bless his grandsons Ephram and Manas. (See *Genesis 48:14*.) In New Testament accounts, Jesus often laid on hands to heal people. The Apostles laid hands on the newly baptized people so that they would receive the Holy Spirit. (See *Acts 8:17*.) In Catholic practice today, the gesture is used to invoke the Holy Spirit, especially during the celebration of the sacraments and other forms of blessing or dedication.

? How did the experience of having hands laid on your head and the words "open to the coming of the fullness of the Holy Spirit" affect you?

_____

_____

_____

_____

_____

_____

El don del Espíritu Santo

No estamos solos cuando vivimos nuestras vidas como hijos de Dios. En el Bautismo, el Espíritu Santo viene a habitar en nosotros. ¡Que don tan maravilloso! Por medio del poder del Espíritu Santo, recibimos la vida de Dios para sanarnos del pecado y hacernos santos. Llamamos a esta vida, la *gracia santificante*.

La palabra griega que se usa en la Sagrada Escritura para describir al Espíritu Santo, es *parakletos*. Esta palabra griega se traduce al latín como *consolator* o *paracletus*. En español, se traduce como *paráclito*, defensor o intercesor, maestro, ayudador, alentador y consolador.

Un *protector* es alguien que nos apoya y actúa en bien nuestro. Los protectores nos animan a alcanzar nuestras metas. Ellos están de nuestro lado y a nuestro lado. El Espíritu Santo es nuestro sabio acompañante y un protector que viaja con nosotros.

REFLEXIONEMOS SOBRE ESTOS PUNTOS

Son tantas las cosas que hacemos automáticamente: hablamos, caminamos, corremos en bicicleta; sumamos, restamos, multiplicamos y dividimos. Sin embargo, hubo un tiempo de sus vidas en que no podían hacer ninguna de estas cosas sin ayuda de otros. Piensen sobre quiénes les enseñaron a hacer estas cosas. ¿Lo hicieron sin pedírselos, o tuvieron que pedir ayuda de vez en cuando?

COMPARTAMOS ESTOS PUNTOS

¿En qué momento han tenido la experiencia de tener al Espíritu Santo como su defensor?

56

The Gift of the Holy Spirit

We are not alone as we live out our lives as children of God. In Baptism the Holy Spirit comes to dwell in us. What a wonderful gift! Through the power of the Holy Spirit, we are filled with God's life to heal us from sin and make us holy. We call this life *sanctifying grace*.

The Greek word used in the Scriptures to describe the Holy Spirit is *parakletos*. This Greek word is translated into Latin, using the word *consolator* or *paracletus*. In English it is translated as *paraclete*, advocate or intercessor, teacher, helper, comforter, and consoler.

An *advocate* is someone who supports us and acts on our behalf. Advocates actively encourage us to accomplish our goals. They are on and at our side. In the Holy Spirit we have a wise companion and an Advocate to journey with us.

THINK ABOUT IT

There are so many things you do that are just second nature for you. You talk, walk, and ride a bike. You add, subtract, multiply, and divide. But there was a time in your life when you could not do any of these things without someone else's help. Think about who helped you learn to do these things. Did they do it automatically, or did you have to ask for help at times?

TALK ABOUT IT

When have you experienced the Holy Spirit being an Advocate for you?

La promesa del Espíritu Santo

ÉNFASIS DE NUESTRO MISTERIO DE FE

¿Por qué Jesús prometió enviar al Espíritu Santo?

Mientras Jesús se preparaba para su muerte, animaba a los apóstoles con la promesa del Espíritu Santo.

LA SAGRADA ESCRITURA

VAYAMOS A LA FUENTE

Ezequiel 36, 25-27; Joel 2, 28-29; Mateo 3, 13-17

REFLEXIONEMOS
SOBRE ESTOS PUNTOS

Cuando las personas a las que amamos y de quien dependemos se van, nos sentimos tristes y temerosos. Nos preguntamos quiénes los reemplazarán o si podremos hacer solos las cosas que antes hacíamos con ellos. Recuerden una experiencia en la que una persona a quien amaban o de quien dependían les dijo que se iba por corto tiempo o para siempre. ¿Cómo se sintieron, qué dijeron?

Otro protector

Si ustedes me aman, guardarán mis mandamientos, y yo rogaré al Padre y les dará otro Protector que permanecerá siempre con ustedes, el Espíritu de Verdad, a quien el mundo no puede recibir, porque no lo ve ni lo conoce. Pero ustedes lo conocen, porque está con ustedes y permanecerá en ustedes.

No los dejaré huérfanos, sino que volveré a ustedes. Dentro de poco el mundo ya no me verá, pero ustedes me verán, porque yo vivo y ustedes también vivirán. Aquel día comprenderán que yo estoy en mi Padre y ustedes están en mí y yo en ustedes".

"Les he dicho todo esto mientras estaba con ustedes. En adelante el Espíritu Santo, el Intérprete que el Padre les va a enviar en mi Nombre, les enseñará todas las cosas y les recordará todo lo que yo les he dicho.

Les dejo la paz, les doy mi paz. La paz que yo les doy no es como la que da el mundo. Que no haya en ustedes angustia ni miedo. Saben que les dije: Me voy, pero volveré a ustedes. Si me amaran, se alegrarían de que me vaya al Padre, pues el Padre es más grande que yo.

Les he dicho estas cosas ahora, antes de que sucedan, para que cuando sucedan ustedes crean".

Juan 14, 15-20, 25-29

? ¿Por qué necesitaban ánimo los discípulos?

? ¿Cómo quieren ustedes que el Espíritu Santo sea su protector?

Promise of the Holy Spirit

GO TO THE SOURCE
Ezekiel 36:25–27, Joel 2:28–29,
Matthew 3:13–17

THINK ABOUT IT

When people we care about and depend upon go away, we may feel sad and afraid. We might wonder who will take their place or if we will be able to do the things by ourselves that we used to do with them. Recall an experience when someone you cared about or depended on told you they were going away either for a short time or for good. How did you feel? What did you say?

FAITH FOCUS

Why did Jesus promise to send the Holy Spirit?

As Jesus was preparing for his death, he encouraged the Apostles with the promise of the Holy Spirit.

✝ Another Advocate

If you love me, you will keep my commandments. And I will ask the Father, and he will give you another Advocate, to be with you forever. This is the Spirit of truth, whom the world cannot receive, because it neither sees him nor knows him. You know him, because he abides with you, and he will be in you.

"I will not leave you orphaned; I am coming to you. In a little while the world will no longer see me, but you will see me; because I live, you also will live. On that day you will know that I am in my Father, and you in me, and I in you. . . .

"I have said these things to you while I am still with you. But the Advocate, the Holy Spirit, whom the Father will send in my name, will teach you everything, and remind you of all that I have said to you. Peace I leave with you; my peace I give to you. I do not give to you as the world gives. Do not let your hearts be troubled, and do not let them be afraid. You heard me say to you, 'I am going away, and I am coming to you.' If you loved me, you would rejoice that I am going to the Father, because the Father is greater than I. And now I have told you this before it occurs, so that when it does occur, you may believe."

John 14:15–20, 25–29

? Why did the Apostles need encouragement?

? In what ways do you want the Holy Spirit to be an Advocate for you?

Don para la Iglesia

Leemos en el Antiguo Testamento que los profetas hicieron hincapié en que el Espíritu del Señor se posaría sobre el Mesías esperado y guiaría la misión del Mesías (*Isaías 11, 2; 6, 1*). El Nuevo Testamento proclama el cumplimiento de esas profecías en Jesús (*Mateo 1, 18; 3, 13-17*). Su promesa de enviar al Espíritu Santo nos demuestra que el don del Espíritu no era sólo para Jesús y su misión, sino para toda la Iglesia. También nos recuerda que la obra de Dios, el Hijo y de Dios, el Espíritu Santo son inseparables; cuando Dios el Padre envía a uno, también envía al otro.

La promesa de Jesús se cumplió en Pentecostés, y desde entonces los apóstoles y aquellos que los siguieron transmitieron el don del Espíritu Santo a los recién bautizados por medio de la imposición de las manos.

Pentecostés, por Simon Bening (c. 1530)

★ Compartamos
la Palabra

Lean las siguientes citas bíblicas que describen los títulos del Espíritu Santo. Escojan uno de los títulos y, en el espacio provisto, escriban sus propias oraciones al Espíritu Santo usando ese título. En grupos de tres o cuatro, expliquen por qué escogieron ese título y compartan su oración.

TÍTULOS DEL ESPÍRITU SANTO

Espíritu de verdad	Juan 16, 13
Espíritu de promesa	Gálatas 3, 14
Espíritu de adopción	Romanos 8, 15
Espíritu de Cristo	1 Pedro 1, 10-11
Espíritu del Señor	2 Corintios 3, 17
Espíritu de Dios	Romanos 8, 9-14
Espíritu de gloria	1 Pedro 4, 14

Gift for the Church

We read in the Old Testament that the prophets stressed that the Spirit of the Lord would rest on the expected Messiah and would guide the Messiah's mission. (See *Isaiah 11:2; 6:1*.) The New Testament proclaims the fulfillment of those prophecies in Jesus. (See *Matthew 1:18; 3:13–17*.) His promise to send the Holy Spirit shows us that the gift of the Spirit was not just for Jesus and his mission, but for the whole Church. It also reminds us that the work of God the Son and God the Holy Spirit are inseparable; when God the Father sends one, he sends the other.

Jesus' promise was fulfilled at Pentecost and from that time on, the Apostles and those who followed them passed on the gift of the Holy Spirit to the newly baptized by the laying on of hands.

Pentecost, by Simon Bening (c. 1530)

Share
the Word

Read the following passages that describe titles of the Holy Spirit. Choose one of the titles and, in the space provided, write your own personal prayer to the Holy Spirit using that title. In groups of three or four, explain why you chose the title you did and share your prayer.

TiTLES OF THE HOLY SPiRiT

Spirit of Truth	John 16:13	
Spirit of Promise	Galatians 3:14	
Spirit of Adoption	Romans 8:15	
Spirit of Christ	1 Peter 1:10–11	
Spirit of the Lord	2 Corinthians 3:17	
Spirit of God	Romans 8:9–14	
Spirit of Glory	1 Peter 4:14	

La Trinidad

ÉNFASIS DE NUESTRO MISTERIO DE FE

¿Cuál es la obra del Espíritu Santo?

REFLEXIONEMOS
SOBRE ESTOS PUNTOS

Cuando oran, ¿cómo se imaginan a Dios?

COMPARTAMOS
ESTOS PUNTOS

Con un compañero o en un grupo pequeño, nombren a la Persona de la Santísima Trinidad a la que ustedes le rezan con más frecuencia y hablen sobre eso.

El Espíritu Santo es la tercera Persona de la Santísima Trinidad. *Santísima Trinidad* es el nombre que la Iglesia le da al misterio de un Dios en tres Personas: Padre, Hijo y Espíritu Santo. Es realmente imposible que podamos entender este misterio fundamental de nuestra fe con nuestra mente humana. Dios es más grande que cualquier cosa que podamos comprender o cualquier palabra que podamos usar para describirlo. Aun así, podemos conocerlo porque Él se ha dado a conocer.

Cuando observamos la creación o pensamos en lo que Jesús nos dijo acerca de Dios el Padre, eso nos da algunas especificaciones. Cuando reflexionamos acerca de Jesús, que es la imagen visible del Dios invisible, eso nos da algunas especificaciones. Cuando leemos sobre los apóstoles en Pentecostés y lo que les sucedió luego, o cuando tenemos la experiencia del poder y la presencia del Espíritu Santo en nuestras vidas, eso nos da algunas especificaciones. Cuando reflexionamos acerca de los símbolos de la Santísima Trinidad, encontramos aún más indicaciones sobre el misterio de las tres Personas en un solo Dios y de cómo siempre están juntas, aunque cada una es única y diferente a las otras.

La obra del Espíritu Santo

El Espíritu Santo es Dios vivo en nosotros y en el mundo. A través del poder y la presencia del Espíritu Santo, llegamos a comprender que Dios realmente nos ama; llegamos a conocer quién es Jesús y a desarrollar una relación con Él; llegamos a ser miembros de su Iglesia, el Cuerpo de Cristo, y recibimos la fortaleza para hacer cosas parecidas a las que hizo Jesús, mientras continuamos con su misión aquí en la tierra.

The Trinity

THINK ABOUT IT

When you pray, how do you picture God?

TALK ABOUT IT

With a partner or in a small group, name and talk about which Person of the Trinity you pray to most often.

FAITH FOCUS

What is the work of the Holy Spirit?

The Holy Spirit is the third Person of the Holy Trinity. *Trinity* is the name the Church gives to the mystery of one God in three Persons—Father, Son, and Holy Spirit. It is really impossible for us to understand this central mystery of our faith with our human minds. God is bigger than anything we can understand or any words we can use to describe him. But we can still know him because he has made himself known to us.

When we look at creation or what Jesus told us about God the Father, we get some hints. When we reflect on Jesus who himself is the visible image of the invisible God, we get some hints. When we read about the Apostles at Pentecost and what happened to them afterward, or when we experience the power and presence of the Holy Spirit in our own lives, we get some hints. When we reflect on the symbols of the Trinity, we get even more hints about the mystery of three Persons in one God and how they always are together, yet they remain unique and distinct in who they are.

The Work of the Holy Spirit

The Holy Spirit is God alive in us and in the world. Through the power and presence of the Holy Spirit, we come to know that God does really love us; we come to know who Jesus is and develop a relationship with him; we become members of his Church, the Body of Christ; and we are given the strength to do things similar to those that Jesus did as we continue his mission here on earth.

Derrama el Espíritu Santo

El Espíritu Santo comenzó el peregrinaje de fe con ustedes al momento del Bautismo. En la Confirmación, serán bendecidos con la fortaleza especial del Espíritu Santo. La Confirmación es necesaria para recibir la plenitud de la gracia del Bautismo. Antes de la imposición de las manos, el obispo se dirige a la comunidad y pide que se derrame sobre ellos el Espíritu Santo.

Oremos, hermanos, a Dios, Padre todopoderoso,
por estos hijos suyos,
que renacieron ya a la vida eterna en el Bautismo,
para que envíe abundantemente sobre ellos
al Espíritu Santo,
a fin de que este mismo Espíritu
los fortalezca con la abundancia de sus dones,
los consagre con su unción espiritual
y haga de ellos imagen fiel de Jesucristo.

Ritual para la confirmación, 24

REFLEXIONEMOS
SOBRE ESTOS PUNTOS

Recuerden cuando fueron a algún lugar por primera vez y no estaban seguros de cómo llegar. ¿Quién o qué les ayudó a encontrar el camino?

COMPARTAMOS
ESTOS PUNTOS

Con un compañero o en un grupo pequeño, discutan como completarían la siguiente frase "Mi peregrinar en la fe es como _____".

SÍMBOLO DEL ESPÍRITU SANTO

Viento El viento es aire fresco en movimiento. Aunque el viento es una fuerza invisible, podemos ver sus efectos. Puede ser poderoso y a veces no puede ser controlado por los seres humanos. Pero, también puede ser muy suave. El descenso del Espíritu Santo fue acompañado de "un ruido como el de una violenta ráfaga de viento" (*Hechos 2, 2*). Jesús habla acerca de eso con Nicodemo y usa la imagen del viento para hablar acerca de aquellos que son "nacidos del Espíritu" (*Juan 3, 8*). Él dice que, igual que ellos "el viento sopla donde quiere" (*Juan 3, 8*).

? ¿Cuál de las cualidades del viento describe mejor las experiencias que han tenido sobre el poder del Espíritu Santo en sus vidas? ¿Por qué?

_____

_____

_____

_____

_____

_____

Pour Out the Holy Spirit

The Holy Spirit began the journey of faith with you at Baptism. In Confirmation you will be blessed with the special strength of the Holy Spirit. Confirmation is necessary to receive the completion of the grace of Baptism. Before the laying on of hands, the bishop addresses the community and asks for the outpouring of the Holy Spirit.

My dear friends:
In baptism God our Father gave the new birth of eternal life
to his chosen sons and daughters.
Let us pray to our Father
that he will pour out the Holy Spirit
to strengthen his sons and daughters with his gifts
and anoint them to be more like Christ the Son of God.

Rite of Confirmation, 24

THINK ABOUT IT

Recall a time you went someplace for the first time and you were unsure of how to get there. Who or what helped you to find your way?

TALK ABOUT IT

With a partner or in a small group, brainstorm responses to the statement "My faith journey is like_____."

SYMBOL OF THE HOLY SPIRIT

Wind Wind is moving fresh air. While wind is an unseen force, we can see its effects. It can be powerful, and it cannot be controlled by humans. But it can also be very gentle. The descent of the Holy Spirit was accompanied by "a sound like the rush of a violent wind" (*Acts 2:2*). Jesus speaks of it to Nicodemus and uses the image of wind to talk about those who are "born of the Spirit" (*John 3:8*). He says that like them, "the wind blows where it chooses" (*John 3:8*).

? Which quality of wind best describes how you experience the power of the Holy Spirit in your life? Why?

_____

_____

_____

_____

_____

_____

Testimonio de fe

Datos biográficos

Venerable Pierre Toussaint

1778   Pierre Toussaint nace en Haití.

1787   Se muda a la ciudad de Nueva York con la familia Berard.

1807   Pierre recibe su libertad.

1811   Se casa con Juliette Noel.

1811–   Funda, junto con Elizabeth Ann Seton, uno de los
1851   primeros orfanatorios de la ciudad de Nueva York, y ayuda a reunir fondos para la primera catedral de la ciudad.

1853   Muere Pierre.

1996   El Papa Juan Pablo II lo declara venerable.

Pierre Toussaint,
por Anthony Meucci
(c. 1825)

En vista de su compromiso de toda la vida de ayudar a los demás, se reconoce a Pierre Toussaint como co-fundador de las obras caritativas católicas de los Estados Unidos.

Practiquemos nuestra fe

Vivo con mi madre en un apartamento en Nueva York. Mi madre me puso el nombre Pierre en honor a Pierre Toussaint. Desde que recuerdo, ella siempre me ha contado su historia en mi cumpleaños. Me siento como si lo conociera.

Cuando Pierre era joven, la familia Berard lo trajo a esta ciudad como un sirviente de la casa. Los Berard eran buenas personas, e hicieron los arreglos para que Pierre aprendiera el oficio de peluquero. Él resultó ser muy bueno en ese oficio. Las señoras más ricas y famosas de la ciudad querían que él les arreglara el cabello y tuvo mucho éxito.

Cuando el señor Berard murió y dejó a su viuda sin dinero, Pierre le proporcionó el apoyo financiero que necesitaba. Cuando la señora Berard le ofreció la libertad, Pierre rehusó porque sabía que ella no se sentiría cómoda si él se hacía cargo de sus negocios siendo un hombre libre.

Pierre era generoso y se preocupaba por las demás personas. Practicaba su fe e iba a misa todos los días. Debido a su éxito financiero pudo ser generoso con las personas que lo rodeaban. Compró la libertad de muchos esclavos y acogió a muchos huérfanos en su hogar. Durante una epidemia de fiebre amarilla en Nueva York, arriesgó su vida para cuidar a los enfermos y moribundos. Cuando murió en 1853, una multitud concurrió a la misa de funeral y dieron testimonio de sus servicios. Es realmente asombroso: fue un hombre negro que tenía que caminar hasta las casas de sus clientes porque ningún taxi lo llevaba.

Ellos admiraban que Pierre fuera diligente y generoso a pesar de los prejuicios de su tiempo.

Pierre S.

66

Bio Stats

Venerable Pierre Toussaint

1778   Pierre Toussaint is born in Haiti.

1787   He moves to New York City with the Berards.

1807   Pierre receives his freedom.

1811   He marries Juliette Noel.

1811–   He founds one of New York City's first
1851   orphanages with Elizabeth Ann Seton, and he
        helps raise funds for the city's first cathedral.

1853   Pierre dies.

1996   He is declared Venerable by Pope John Paul II.

Pierre Toussaint, by Anthony Meucci (c. 1825)

In view of his lifelong commitment to helping others, Pierre Toussaint is credited as a founder of Catholic charitable works in the United States.

Living It Out Today

I live in a tenement in New York City with my mother. She named me Pierre after Pierre Toussaint. For as long as I can remember, she has always told me his story on my birthday. I feel like I know him.

When Pierre was a young man, he was brought to this city by the Berards as a house servant. The Berards were good people. They arranged for Pierre to learn the trade of hairdressing. He was very good at it. The richest and most famous women in the city wanted him to do their hair. He became very successful. When Mr. Berard died and left his wife with no money, Pierre was able to provide her with the financial support she needed. Even though Mrs. Berard offered him his freedom, he refused it knowing that she would not be at ease with him taking care of her business if he were a free man.

Pierre was generous and other-centered. He practiced his faith and went to Mass every day. Because of his financial gain, he was able to be generous to those around him. He bought freedom for many slaves and brought black orphans into his home. He risked his own life during a yellow fever epidemic in New York to care for the sick and dying. When he died in 1853, people crowded into his funeral Mass and testified to his service. It is really amazing when you think of it. Here was a black man who had to walk to his customers' homes to do their hair, because the taxis would not take him.

They admired that Pierre was diligent and generous in spite of the prejudices of his day.

Pierre S.

Fe en acción

Llamados a ser familia, comunidad y a la participación

Dios nos ha dado su Espíritu. Por eso no pensamos (ni actuamos) como lo hace la gente de este mundo. El Espíritu obra en el mundo invitándonos a participar más plenamente en nuestra familia y comunidad. Al igual que el venerable Pierre Toussaint, podemos ayudar a los familiares y miembros de la comunidad que se encuentren enfermos o estén muriéndose. A muchos de los residentes en asilos de ancianos les encanta que los jóvenes les visiten. Algunos programas de hospedería necesitan voluntarios de escuela superior para grabar en vídeo la historia de la vida de sus pacientes. Éstos son algunos ejemplos de lo que pueden hacer como voluntarios.

 Visiten la página **www.harcourtreligion.com** para descubrir más acerca de la doctrina social de la Iglesia Católica.

★ Respondamos
en fe

Mis reflexiones

Haciendo uso de sus propias ideas y conocimientos sobre esta sesión, creen un collage de palabras que expresen lo que aprendieron del Espíritu Santo.

Símbolos

Haciendo uso de plastilina, hagan un molde de un símbolo del Espíritu Santo. En un papel, escriban una descripción que explique su símbolo y adjunten la explicación al símbolo. Luego intercambien los símbolos con los otros miembros del grupo.

 ORACIÓN FINAL

Ven, Espíritu Santo, vive en nosotros.
Ven con tu gracia, tu poder y tu sabiduría.
Sé nuestro defensor y consejero.
Guíanos para llevar vidas dignas de nuestro llamado.

Amén.

Call to Family, Community, and Participation

God has given us his Spirit. That's why we don't think (and act) the same way the people of this world think. The Spirit works in the world by inviting us to participate more fully in our family and community. Like Venerable Pierre Toussaint, we can reach out to those who are sick and dying in our extended family and community. Most assisted-living facility residents love to have young people visit them. Some hospice programs need junior high school volunteers to videotape the life stories of their patients. These are things you can volunteer to do.

 Visit **www.harcourtreligion.com** to discover more about Catholic social teachings.

Respond
in Faith

My Thoughts

Using your own ideas and insights about this session, create a word collage that expresses what you learned about the Holy Spirit.

Symbols

Using clay, mold a symbol of the Holy Spirit. On a separate sheet of paper, write a description explaining your symbol and attach the explanation to the symbol. You will exchange symbols with other members of the group.

 CLOSING PRAYER

Come, Holy Spirit, live in us.
Come with your grace, your power, and your wisdom.
Be our Advocate and counselor.
Guide us to lead lives worthy of our calling.

Amen.

Respondan
en fe

Actúen juntos

Sigan el ejemplo de la historia de Pierre Toussaint y conversen sobre las maneras en que pueden servir a otros en su familia o comunidad. Decidan qué medida específica pueden tomar juntos para compartir su tiempo o talento con los demás.

ÉNFASIS DE NUESTRO MISTERIO DE FE

Conversen sobre las siguientes verdades de la fe. Concéntrense en cómo estas verdades de la fe tienen o podrían tener hoy un efecto en sus vidas. Consulten la lección si es necesario.

- Por medio del poder del Espíritu Santo, somos llenos de la vida de Dios.

- El Espíritu Santo es nuestro defensor.

- La Santísima Trinidad es el nombre que da la Iglesia al misterio de un Dios en tres Personas: Padre, Hijo y Espíritu Santo.

ÉNFASIS DEL RITO

Durante la celebración, los candidatos tienen la experiencia de la imposición de las manos y son bendecidos. Al terminar la sesión, coloquen la mano derecha sobre la cabeza del candidato y oren la siguiente oración:

Padre:
Mientras tu Espíritu nos guía y tu tierno cuidado nos
mantiene seguros, acércate a [Nombre].
Fortalece y protege con tu bondad,
la fe de [Nombre] y de todos los que creen en ti.
Te lo pedimos por medio de nuestro Señor Jesucristo,
tu Hijo, que vive y reina contigo y con el Espíritu Santo,
y es Dios, por los siglos de los siglos.
Amén.

SER CATÓLICO

Para el padrino o miembro de la familia: Analicen los siguientes poemas escritos por católicos famosos y conversen sobre cómo describen al Espíritu Santo.

❝**El Espíritu de Dios / es vida que confiere vida, / raíz del árbol-mundo / y viento en sus ramas. / Al lavar los pecados, / frota aceite en las heridas**❞

— Tomado de: *Antífona del Espíritu Santo,* por Hildegard of Bingen

COMPARTAN JUNTOS

Para el padrino o miembro de la familia: Lean los siguientes ejemplos de experiencias del Espíritu Santo. Seleccionen las que son más significativas para cada uno de ustedes y dialoguen acerca de ellas.

- Cuando tengo que tomar una decisión, oro al Espíritu Santo para que me guíe.
- Algunas veces siento la presencia del Espíritu Santo cuando estoy con mis amigos.
- El Espíritu Santo me ayuda y apoya cuando me veo tentado a ceder a la tentación de la presión negativa de mis compañeros.
- El Espíritu Santo me guía para elegir correctamente cómo usar mi tiempo y dinero.
- El Espíritu Santo me guía en la oración.
- El Espíritu Santo me guía en mis buenas relaciones con los demás.
- El Espíritu Santo me ayuda a tomar las decisiones morales correctas.

Para el padrino o miembro de la familia: Reflexionen acerca de sus propias experiencias del Espíritu Santo.

- ¿Cómo se imaginan al Espíritu Santo?
- ¿Cuándo o cómo han estado conscientes de la presencia del Espíritu Santo?
- ¿Qué títulos del Espíritu Santo son más importantes para sus vidas de fe?

❝ Oh, mañana que del oscuro abismo oriental naces cuando el Espíritu Santo se posa sobre el mundo con pecho tibio y ¡ah!, alas brillantes ❞.

— Tomado de: *La Grandeza de Dios,* por Gerard Manley Hopkins

❋ Respond
in Faith Together

ACT TOGETHER

Taking a cue from the story of Venerable Pierre Toussaint, discuss ways that you can be of generous service to others in your family or community. Decide on one specific action you can take together to share your time or talent with others.

FAITH FOCUS

Discuss the following beliefs together. Focus on how these beliefs have or could have an effect on your lives today. Refer to the lesson if necessary.

- Through the power of the Holy Spirit, we are filled with God's life.

- The Holy Spirit is our Advocate.

- Trinity is the name the Church gives to the mystery of one God in three Persons—Father, Son, and Holy Spirit.

RITUAL FOCUS

During the celebration, candidates experienced a laying on or imposition of hands and a prayer of blessing. At the end of your time together, place your right hand on your candidate's head and pray the following prayer.

Father,
As your Spirit guides us and your loving care keeps us safe,
*   be close to [Name].*
Strengthen and protect by your kindness
*   the faith of [Name] and all who believe in you.*
We ask this through our Lord Jesus Christ, your Son,
*   who lives and reigns with you and the Holy Spirit,*
*   one God, forever and ever.*
Amen.

BEING CATHOLIC

To the Sponsor or Family Member: Explore these poems by famous Catholics and discuss what they describe about the Holy Spirit.

❝ **The Spirit of God/is a life that bestows life,/root of the world-tree/and wind in its boughs./Scrubbing out sins,/she rubs oil into wounds.** ❞

— From *Antiphon for the Holy Spirit* by Hildegard of Bingen

To the Sponsor or Family Member: Go through the following examples of experiences of the Holy Spirit. Select and discuss the ones that are meaningful to each of you.

- When I have to make a decision, I pray to the Holy Spirit for guidance.
- Sometimes I feel the presence of the Holy Spirit when I am with my friends.
- The Holy Spirit helps me and supports me when I am tempted to give in to negative peer pressure.
- The Holy Spirit guides me to make good choices about how I spend my time or money.
- The Holy Spirit makes it easier for me to pray.
- The Holy Spirit guides me in good relationships with others.
- The Holy Spirit helps me to make good moral decisions.

To the Sponsor or Family Member: Reflect on your own experience of the Holy Spirit.

- How do you imagine the Holy Spirit?
- When or how are you aware of the Holy Spirit?
- Which titles of the Holy Spirit are most significant to your faith life?

66 **Oh, morning, at the brown brink eastward, springs—
Because the Holy Ghost over the bent
World broods with warm breast and with ah! bright wings.**99

— From *God's Grandeur* by Gerard Manley Hopkins

Capacitados
por el Espíritu

Rito de reunión
Procesión con la Sagrada Escritura

 Cantemos.

Líder: Oremos.

Todos: Hagamos la señal de la cruz.

Líder: Nos reunimos para alabar y dar gracias por el don del Espíritu Santo que vive en nosotros y nos capacita con abundante bondad y bendiciones.

Todos: Amén.

Líder: Señor, abre nuestro corazón y nuestra mente para que podamos recibir la plenitud de los dones y frutos del Espíritu Santo, para que seamos signos de tu presencia y mensajeros de tu Buena Nueva. Te lo pedimos por Jesucristo, nuestro Señor, que vive y reina contigo en unidad del Espíritu Santo por los siglos de los siglos.

Todos: Amén.

Celebración de la Palabra

Líder: Lectura del Libro del profeta Isaías.
Leamos Isaías 11, 1-5.
Palabra del Señor.

Todos: Demos gracias a Dios.

Reflexionemos en silencio.

¿Cuáles son los dones del Espíritu Santo que más desean recibir?

ÉNFASIS DEL RITO

Bendición de los candidatos

Pasen al frente cuando se les indique. El líder coloca las manos sobre la cabeza de cada candidato, hace la señal de la cruz y ora.

Líder: [Nombre], en el Bautismo recibiste los dones de la fe y una nueva vida en Cristo. Oremos para que Dios te bendiga mientras te preparas para participar más plenamente en esta vida guida por los dones del Espíritu Santo.

Candidato: Amén.

session **4**

Empowered
by the Spirit

Gathering Rite
Procession with the Word

 Sing together.

Go make a difference.
We can make a difference.
Go make a difference in the world.

"Go Make a Difference," © 1997, Steve Angrisano and
Thomas N. Tomaszek. Published by spiritandsong.com®

Leader: Let us pray.

All: *Pray the Sign of the Cross together.*

Leader: We gather together to give praise and thanks for the gift of the Holy Spirit who lives in us and empowers us with abundant goodness and blessings.

All: Amen.

Leader: Lord, make us open to the fullness of the Gifts and Fruits of your Holy Spirit, that we may be signs of your presence and messengers of your Good News. We ask this through Jesus Christ our Lord.

All: Amen.

Celebration
of the Word

Leader: A reading from the Book of the prophet Isaiah.
Read Isaiah 11:1–5.
The word of the Lord.

All: Thanks be to God.

Reflect silently.
? What Gifts of the Holy Spirit do you most want for yourself?

RITUAL FOCUS

Blessing of Candidates

Come forward as directed. Leader places hands on each candidate's head, makes the Sign of the Cross, and prays.

Leader: [Name], in Baptism you received the gifts of faith and new life in Christ. We pray for God's blessing on you as you prepare to share more fully in this life through the Gifts of the Holy Spirit.

Candidate: Amen.

Peticiones

Líder: Oremos.

Respondemos: *Ven, Espíritu Santo.*

Lector 1: Para que cada uno de nosotros, la Iglesia y los líderes mundiales reciban el don de la sabiduría, oremos al Señor.

Lector 2: Para que por medio del don del entendimiento, podamos conocer el significado de la acción y la presencia de Dios en nuestra vida. Concédenos el don del consejo para que hagamos elecciones que nos lleven al crecimiento como sus hijos, oremos al Señor.

Lector 3: Para que el Señor nos conceda el don del valor, para poder vivir como verdaderos discípulos de Jesús. Concédenos, Señor, el don del conocimiento, para ver nuestra vida como tú quieres que la veamos, oremos al Señor.

Lector 4: Señor, concédenos el don de la reverencia, para poder amar y adorar a Dios y respetar a toda su creación. Para que por medio de los dones de la piedad y el temor de Dios, podamos reconocer cuan grande es Dios, oremos al Señor.

Líder: Oremos como Jesús nos enseñó.

Oremos el Padrenuestro.

¡Evangelicemos!

Líder: Padre amoroso, oramos para que se nos concedan los dones del Espíritu Santo y podamos dar testimonio de tu Hijo, Jesús. Te lo pedimos por Jesucristo, nuestro Señor, que vive y reina contigo en unidad del Espíritu Santo por los siglos de los siglos.

Todos: Amén.

Repitamos el canto de entrada.

General Intercessions

Leader: Let us pray.

The response is **Come, Holy Spirit.**

Reader 1: For the gift of wisdom for ourselves, for the Church, and for world leaders, we pray to the Lord.

Reader 2: For the gift of understanding that we may come to know the meaning of God's action and presence in our lives. For the gift of right judgment that we will make choices that will lead us to grow as his children, we pray to the Lord.

Reader 3: For the gift of courage to live as true disciples of Jesus. For the gift of knowledge to see our lives through God's eyes, we pray to the Lord.

Reader 4: For the gift of reverence to love and worship God and respect all of his creation. For the gift of wonder and awe to recognize how great God is, we pray to the Lord.

Leader: Let us pray as Jesus has taught us.

Pray the Lord's Prayer together.

We Go Forth

Leader: Loving Father, we pray for the Gifts of the Holy Spirit that we may be witnesses of your Son, Jesus. We ask this through Christ our Lord.

All: Amen.

Sing again the opening song.

Los dones del Espíritu

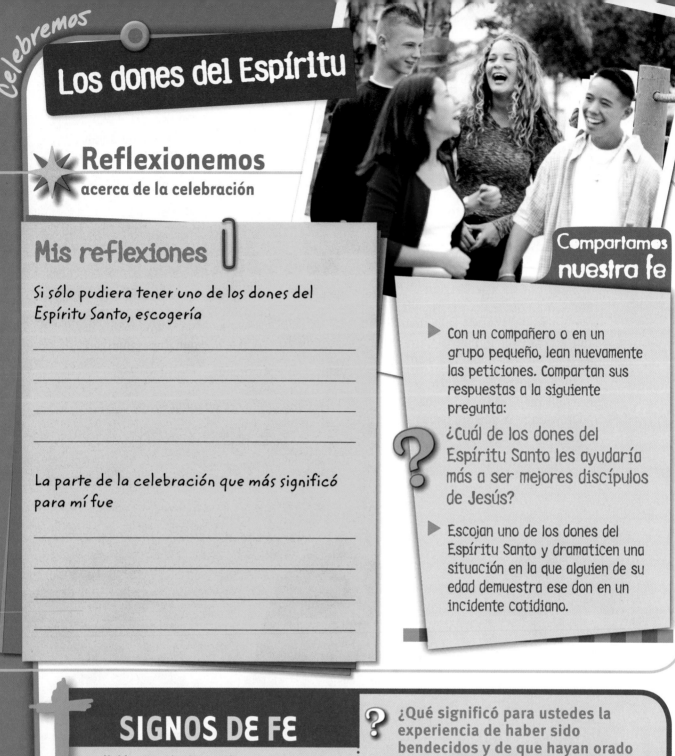

✳ Reflexionemos
acerca de la celebración

Mis reflexiones 📎

Si sólo pudiera tener uno de los dones del
Espíritu Santo, escogería

_____

_____

_____

_____

La parte de la celebración que más significó
para mí fue

_____

_____

_____

_____

_____

Compartamos nuestra fe

▶ Con un compañero o en un
grupo pequeño, lean nuevamente
las peticiones. Compartan sus
respuestas a la siguiente
pregunta:

? ¿Cuál de los dones del
Espíritu Santo les ayudaría
más a ser mejores discípulos
de Jesús?

▶ Escojan uno de los dones del
Espíritu Santo y dramaticen una
situación en la que alguien de su
edad demuestra ese don en un
incidente cotidiano.

SIGNOS DE FE

Bendición Bendecir significa usar gestos
y oraciones para colocar a una persona o
cosa bajo el cuidado de Dios. Dios es la
fuente de nuestras bendiciones porque Dios
es la fuente de toda bondad y favor. Las
bendiciones son signos de la presencia de
Dios que se usan como forma de oración
desde los tiempos del Antiguo Testamento.

Las bendiciones litúrgicas usan una
fórmula establecida y las dice un sacerdote
u obispo. Las bendiciones simples se hacen
con una oración y la señal de la cruz. Una
persona laica puede decirlas.

? ¿Qué significó para ustedes la
experiencia de haber sido
bendecidos y de que hayan orado
por ustedes durante la celebración?

_____

_____

_____

_____

_____

_____

_____

_____

Gifts of the Spirit

⭐ Reflect
on the Celebration

My Thoughts

If I could have only one of the Gifts of the Holy Spirit, I would want

_____

_____

_____

_____

The part of the celebration that meant the most to me was

_____

_____

_____

_____

Faith Sharing

▶ With a partner or in a small group, read again the words of the General Intercessions. Share your responses to the following questions.

? Which Gift of the Holy Spirit would most help you to be a better disciple of Jesus?

▶ Choose one of the Gifts of the Holy Spirit and role-play a situation where someone your age demonstrates that Gift in an everyday event.

SIGNS OF FAITH

Blessing To bless something or someone means to use gestures and prayers to place the person or object under God's care. God is the source of all our blessings because God is the source of all goodness and favor. Blessings are sacramentals or signs of God's presence that have been used as a form of prayer since Old Testament times.

Liturgical blessings use a set formula and are given by a priest or bishop. Simple blessings are made with prayer and the Sign of the Cross. They may be given by lay people.

? What did the experience of being blessed and prayed for during the celebration mean for you?

_____

_____

_____

_____

_____

_____

_____

_____

79

Proveedor de dones

Los dones del Espíritu Santo se nos dan por primera vez en el Bautismo. La Confirmación aumenta estos dones, que son tanto poderes como inclinaciones a actuar de formas que nos ayudan a crecer en nuestra relación con Jesús, el Hijo de Dios. Nos dan la ayuda que necesitamos para llevar una vida cristiana activa en el mundo. También nos ayudan a conocer y hacer la voluntad de Dios. Pero la ayuda que nos ofrecen los dones del Espíritu Santo no es automática. Así como los regalos materiales tienen que abrirse y usarse para poder apreciarlos y para que sean útiles, los dones del Espíritu Santo tienen que abrirse y usarse una y otra vez.

REFLEXIONEMOS
SOBRE ESTOS PUNTOS

Piensen en un familiar o amigo preferido que viene de visita y que, verlo o estar con él, los hace sentir felices. Tan sólo su presencia es un regalo para ustedes. ¿Ahora, cómo se sentirían si también trae regalos, no sólo uno sino siete?

> *Dios todopoderoso,*
> *Padre de nuestro Señor Jesucristo,*
> *que has hecho nacer de nuevo a estos hijos tuyos*
> *por medio del agua y del Espíritu Santo,*
> *librándolos del pecado,*
> *escucha nuestra oración*
> *y envía sobre ellos al Espíritu Santo Consolador:*
> *espíritu de sabiduría y de inteligencia,*
> *espíritu de consejo y de fortaleza,*
> *espíritu de ciencia, de piedad*
> *y de tu santo temor.*
> *Por Jesucristo, nuestro Señor.*

Ritual para la confirmación, 25

LOS SIETE DONES DEL ESPÍRITU SANTO

Reflexionen sobre el texto de la tabla a continuación y escriban en el espacio adecuado cómo creen que cada don tiene la capacidad de ayudarlos a crecer en su relación con Jesús. Pueden volver a leer las intercesiones generales en la celebración.

Sabiduría	El poder de juzgar las cosas a la luz de las normas de Dios y tomar decisiones y actuar según la ley de Dios.	Con sabiduría 1
Inteligencia	El poder de entender mejor los misterios de la vida y la religión, de saber cómo vivir mi vida como seguidor de Jesús y de aplicar las enseñanzas de la Iglesia.	Con inteligencia 1
Consejo	El poder de tomar buenas decisiones en cuanto a lo correcto y lo incorrecto, el bien y el mal.	Con consejo 1
Fortaleza	El poder de defender mi fe y los valores del mensaje de Jesús aun cuando sea difícil.	Con fortaleza 1
Ciencia	El poder de saber el valor y la importancia de las cosas creadas y de ver toda la vida y la creación como Dios quiere que las veamos.	Con ciencia 1
Piedad	El poder de tratar a Dios y a las personas con honor y de ver a las personas creadas a imagen de Dios.	Con piedad 1
Temor de Dios	El poder de reconocer lo maravilloso que es Dios y de reconocer esa maravilla en su creación.	Con temor de Dios 1

Giver of Gifts

The Gifts of the Holy Spirit are first given to us at Baptism. Confirmation increases these Gifts, which are both powers and inclinations to act in ways that help us grow in our relationship to Jesus, God's Son. They give us the help to lead an active Christian life in the world. They also help us know and do God's will. But the help the Gifts of the Holy Spirit offer us is not automatic. Just as material gifts need to be opened and used to be appreciated and effective, so also the Gifts of the Holy Spirit need to be opened and used over and over again.

All-powerful God, Father of our Lord Jesus Christ
by water and the Holy Spirit
you freed your sons and daughters from sin
and gave them new life.
Send your Holy Spirit upon them
to be their Helper and Guide.
Give them the spirit of wisdom and understanding,
the spirit of right judgment and courage,
the spirit of knowledge and reverence.
Fill them with the spirit of wonder and awe in your presence.
We ask this through Christ our Lord.

Amen.

Rite of Confirmation, 25

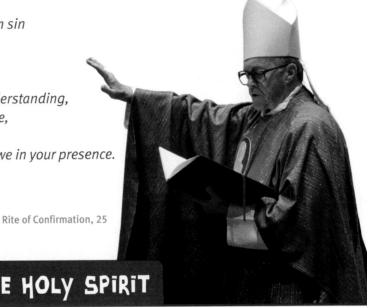

THE SEVEN GIFTS OF THE HOLY SPIRIT

Reflect on the chart below and in the appropriate space write how you see each gift as a potential for helping you grow in your relationship with Jesus. You may wish to go back and read the General Intercessions in the celebration.

Wisdom	The power to judge things in light of God's standards and to make decisions and act according to God's law	With wisdom I
Understanding	The power to better understand the mysteries of life and religion, to know how to live my life as a follower of Jesus, and to apply the teachings of the Church	With understanding I
Right Judgment	The power to make good decisions in matters of right and wrong, good and evil	With right judgment I
Courage	The power to stand up for my beliefs and the values of Jesus' message even when it is difficult	With courage I
Knowledge	The power to know the value and worth of created things and see all of life and creation through God's eyes	With knowledge I
Reverence	The power to treat God and people with honor, seeing people as made in God's image	With reverence I
Wonder and Awe	The power to recognize how awesome God is and to recognize this awe in his creation	With wonder and awe I

Dones para la Misión

LA SAGRADA ESCRITURA

VAYAMOS A LA FUENTE
Mateo 27, 69-75; Hechos 4, 5-22

COMPARTAMOS ESTOS PUNTOS

Con un compañero o en un grupo pequeño, dialoguen sobre los temores que los jóvenes de ahora pudieran tener de hablar abiertamente sobre su fe.

ÉNFASIS DE NUESTRO MISTERIO DE FE

¿Por qué Dios nos da dones?

¡Qué cambio hicieron los dones del Espíritu Santo en Pedro y los demás apóstoles! Después de que el Espíritu Santo descendió sobre ellos en Pentecostés, Pedro y los apóstoles fueron fortalecidos para fundar la Iglesia en Jerusalén. Recibieron el poder de sanar y de predicar acerca de la Resurrección de Jesús sin temor.

Durante la Pasión y muerte de Jesús, Pedro negó conocer a Jesús. Sin embargo, después de Pentecostés, cuando Pedro y Juan fueron llevados ante el sumo sacerdote y cuestionados acerca de su predicación y capacidad de sanar, Pedro habló con audacia sobre la Resurrección de Jesucristo y su papel como el Salvador.

Simón, el mago

Felipe fue a Samaria y les proclamó al Mesías. La gente le puso atención porque vieron los prodigios que hacía. Los espíritus malos, dando gritos, salían de los endemoniados y varios paralíticos y cojos quedaron sanos. Había gran alegría en aquella ciudad.

Había un hombre llamado Simón que vivía en la ciudad. Practicaba la magia, que era una forma de religión para muchos paganos. Sus seguidores pensaban muy bien de él y lo llamaban "Fuerza de Dios". Sin embargo, cuando sus seguidores comenzaron a seguir a Felipe, hasta Simón creyó. Se hizo bautizar y se convirtió en seguidor, y no salía de su asombro al ver las señales milagrosas y los prodigios que ocurrían.

Cuando los apóstoles en Jerusalén oyeron que Samaria había aceptado La Palabra de Dios, enviaron allá a Pedro y a Juan, quienes fueron y oraron por ellos para que recibieran el Espíritu Santo. Entonces les impusieron las manos y recibieron el Espíritu Santo.

Cuando Simón vio que el Espíritu se confería con la imposición de las manos, les ofreció dinero y dijo: "Denme a mí también ese poder de modo que a quien yo imponga las manos reciba el Espíritu Santo". Pero Pedro le dijo: "¡Al infierno tú y tu dinero! ¿Cómo has pensado comprar el Don de Dios con dinero? Tú no puedes esperar nada ni tomar parte en esto, porque tus pensamientos no son rectos ante Dios".

Basado en Hechos 8, 4-21

? ¿Por qué creen que Simón deseaba el poder?

? ¿Por qué desean ustedes los dones del Espíritu Santo?

Tierra Santa

Nahariya
'Akko
GALILEA
Haifa
Tiberíades
Lago de Tiberíades
Mar Mediterráneo
Nazaret
Afula
Beit She'an
Hadera
Jenin
Río Jordán
Tulkarm
SAMARIA
Netanya
Nablus
Kalkilye
Ramat Gan
Bnei Brak
Tel-Aviv Yafo
Petah Tikva
Bat Yam
Holon
Rishon Lezion
Ramla
Hamallah
Jericó
Ashdod
Rehovot
Jerusalén
Beit Shemesh
Belén
Mar Muerto

✝ SCRIPTURE

GO TO THE SOURCE
Matthew 27:69–75, Acts 4:5–22

TALK ABOUT IT

With a partner or in a small group, share what fears young people today might have about talking openly about their faith.

FAITH FOCUS

Why does God give us gifts?

What a difference the Gifts of the Holy Spirit made in Peter and the other Apostles. After the Holy Spirit descended upon them at Pentecost, they were strengthened to build up the Church in Jerusalem. They were given the power to heal and to preach about Jesus' Resurrection without any fear!

During Jesus' passion and death, Peter denied knowing Jesus. However, after Pentecost when Peter and John were brought before the high priest and questioned about their preaching and ability to heal, Peter spoke out very boldly about the Resurrection of Jesus Christ and his role as the Savior.

✝ Simon, the Magician

Philip went down to Samaria and proclaimed the Messiah to them. The crowds paid attention to him because they saw the signs he was doing. Unclean spirits, crying out in a loud voice, came out of many possessed people; and many paralyzed and crippled people were cured. There was great joy in that city.

There was a man named Simon living in the city. He used to practice magic, which was a form of religion for many pagans. He was highly thought of by his followers who called him "Power of God." However, when his followers began to follow Philip, even Simon came to believe. He was baptized and became a follower and was astounded by the signs and wonders that were occurring.

When the Apostles in Jerusalem heard that Samaria had accepted the word of God, they sent them Peter and John, who went down and prayed for them that they might receive the Holy Spirit. Then they laid hands on them and they received the Holy Spirit.

When Simon saw that the Spirit was conferred by the laying on of hands, he offered them money and said, "Give me also this power so that anyone on whom I lay my hands may receive the Holy Spirit." But Peter said to him, "May your silver perish with you, because you thought you could obtain God's gift with money! You have no part or share in this, for your heart is not right before God."

Based on Acts 8:4–21

? Why do you think Simon wanted the power?

? Why do you want the Gifts of the Holy Spirit?

Holy Land

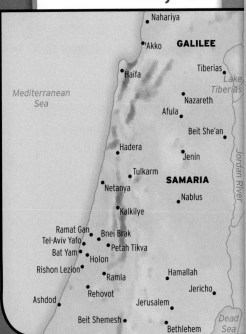

Nahariya
'Akko   **GALILEE**
Haifa   Tiberias
Lake Tiberias
Nazareth
Afula
Beit She'an
Hadera
Jenin
Jordan River
Tulkarm
SAMARIA
Netanya
Nablus
Kalkilye
Ramat Gan   Bnei Brak
Tel-Aviv Yafo
Bat Yam   Petah Tikva
Holon
Rishon Lezion
Ramla
Hamallah
Jericho
Ashdod   Rehovot
Jerusalem
Beit Shemesh
Bethlehem
Dead Sea
Mediterranean Sea

Los dones del Espíritu Santo no se nos dan únicamente para nuestra relación personal con Jesús. Son dones que se deben compartir con otros y usarse para el beneficio de la Iglesia y su misión de llevar la Buena Nueva a los demás.

Los dones espirituales

REFLEXIONEMOS
SOBRE ESTOS PUNTOS

Piensen en los dones que recibieron. ¿Cuáles quisieron conservar para ustedes y cuáles quisieron compartir con los demás?

 LA SAGRADA ESCRITURA

"Hay diferentes dones espirituales, pero el Espíritu es el mismo. Hay diversos ministerios, pero el Señor es el mismo. Hay diversidad de obras, pero es el mismo Dios quien obra todo en todos. La manifestación del Espíritu que a cada uno se le da es para provecho común".

1 Corintios 12, 4-7

 ## Compartamos
la Palabra

Con un compañero o en un grupo pequeño elaboren una lista de los dones que Dios le ha dado a cada uno. Compartan cómo usan o pueden usar esos dones para contribuir a la vida de su parroquia o para llevar la Buena Nueva a otras personas. Luego reflexionen sobre lo que pueden hacer para continuar desarrollando esos dones en el futuro.

_____

_____

_____

_____

_____

_____

_____

The Gifts of the Holy Spirit are not given to us just for our personal relationship with Jesus. They are gifts that are meant to be shared with others and used for the benefit of the Church and its mission to bring the Good News to others.

Spiritual Gifts

 SCRIPTURE

Now there are a variety of gifts, but the same Spirit; and there are varieties of services, but the same Lord; and there are varieties of activities, but it is the same God who activates all of them in everyone. To each is given the manifestation of the Spirit for the common good.

1 Corinthians 12:4–7

Share
the Word

With a partner or in a small group, brainstorm a list of the gifts that God has given each of you. Share how you do or could use those gifts to contribute to the life of your parish or to bring the Good News to others. Then reflect on how you can continue to develop these gifts in the future.

_____

_____

_____

_____

_____

_____

_____

_____

Conversión

¿Cómo somos llamados a usar los dones del Espíritu Santo?

COMPARTAMOS ESTOS PUNTOS

Con un compañero o en un grupo pequeño elaboren una lista de personas que conocen y que reflejan la bondad de Cristo. Digan por qué las escogieron.

REFLEXIONEMOS SOBRE ESTOS PUNTOS

Recuerden alguna ocasión en que hubo un cambio en sus vidas y comenzaron a actuar más como discípulos de Jesús.

Durante la celebración de la Confirmación, el obispo hablará acerca del primer Pentecostés. Les recordará que ustedes recibieron el Espíritu Santo por primera vez en el Bautismo. También les exhortará a vivir de forma tal que los demás vean la bondad de Dios en ustedes. En sus propias palabras, dirá:

Por consiguiente, deberán dar ante el mundo testimonio de la muerte y Resurrección de Cristo. Esto lo conseguirán si su vida diaria es ante los hombres como el buen olor de Cristo, de quien la Iglesia recibe constantemente aquella diversidad de dones que el Espíritu Santo distribuye entre los miembros del pueblo de Dios, para que el cuerpo de Cristo vaya creciendo, en la unidad y en el amor.

Ritual para la confirmación, 22

Un cambio

Para hacer lo que el obispo pide, puede que tengan que hacer algunos cambios en su vida. *Conversión* significa cambiar, dejar de ser o hacer las cosas de cierta manera para ser o hacerlas de otra. La conversión espiritual implica estar arrepentidos de nuestros pecados y desear cambiar nuestra vida y volvernos hacia Dios; puede ser un cambio grande o pequeño. En nuestro peregrinar en la fe hay muchos momentos de conversión, o momentos en que nos acercamos más a ser y a actuar como discípulos o seguidores de Jesús. Éstos son ejemplos de conversión:

- **pasar de ser impacientes con los hermanos menores a ser más pacientes**
- **pasar de orar poco a separar un tiempo para orar todos los días**
- **pasar de emplear todo el tiempo en actividades propias a poner parte de el mismo al servicio de los demás**
- **pasar de gastar todo el dinero en asuntos propios a compartirlo con los necesitados**

Lo más importante que deben recordar sobre la conversión es que es el proceso de acercarnos más a Jesús y parecernos más a Él. El Espíritu Santo nos acompaña en nuestro peregrinar y nos ilumina para que actuemos como discípulos de Jesús.

Conversion

How are we called to use the Gifts of the Holy Spirit?

TALK ABOUT IT

With a partner or in a small group, make a list of people you know who reflect the goodness of Christ. Share why you chose them.

THINK ABOUT IT

Recall a time when you changed and began acting more like a disciple of Jesus.

During the Confirmation celebration, the bishop will speak about the first Pentecost. He will remind you that you first received the Holy Spirit at Baptism. He will also urge you to live in a way that others will see God's goodness in you. In his own words, he will say:

You must be witnesses before all the world to his suffering, death, and resurrection; your way of life should at all times reflect the goodness of Christ. Christ gives varied gifts to his Church, and the Spirit distributes them among the members of Christ's Body to build up the holy people of God in unity and love.

Rite of Confirmation, 22

A Change

To do what the bishop asks may require some changes for you. *Conversion* means to change—to move away from doing or being one way to doing or being another way. Spiritual conversion involves being sorry for our sins and wanting to change our ways and turn toward God. Conversion can be a big change or it can be a small one. On our faith journey, there are many moments of conversion, or times when we turn more toward being and acting as disciples or followers of Jesus. Some examples of conversions are the following:

- **moving from being impatient with younger siblings to being more patient**
- **moving from praying very little to setting aside time for prayer every day**
- **moving from using your time for all the activities you want to do for yourself to volunteering time for others**
- **moving from spending all your money on yourself to sharing it with those in need**

The most important thing to remember about conversion is that it is a process of becoming united more closely to Jesus and growing more like him. The seven Gifts of the Holy Spirit help us on that journey when we use them.

87

Usar los dones del Espíritu

Los dones del Espíritu Santo nos llaman a ser miembros responsables de la Iglesia y a ayudar a los demás a conocer y amar a Jesús y su Iglesia.

No somos discípulos de Jesús solos. Participamos en la fe de la Iglesia universal y en la de nuestra comunidad parroquial. Dependemos unos de otros para sostenernos en la fe, para orar, para recibir orientación y para el buen ejemplo. Nuestras comunidades parroquiales dependen de nuestra participación en las actividades que se llevan a cabo. Las parroquias necesitan jóvenes que estén involucrados en la liturgia, que ayuden con los proyectos de servicio y que participen en grupos que comparten la fe y en las sesiones de educación religiosa.

Evangelización

También somos responsables de *evangelizar* o llevar la Buena Nueva de Jesús a los demás. Para poder evangelizar, necesitamos conocer a Jesús y tener una buena relación con Él. Cuando tenemos una buena relación con Jesús, la evangelización resulta más fácil porque entonces queremos compartirla con los demás.

Evangelizamos cuando hablamos con otras personas acerca de cuán importante es nuestra fe o cuando conscientemente usamos nuestros dones para cuidar de los pobres o los necesitados, o cuando trabajamos en favor de la justicia. Evangelizamos cuando tratamos de vivir el llamado a la santidad que recibimos por primera vez en el Bautismo. La evangelización se puede hacer en el hogar, en los pasillos, en el campo deportivo, en la escuela y en el vecindario.

REFLEXIONEMOS SOBRE ESTOS PUNTOS

Piensen en alguna ocasión en que alguien les dijo que eran responsables o irresponsables. ¿Cómo se sintieron?

COMPARTAMOS ESTOS PUNTOS

En un grupo pequeño dialoguen sobre cómo el grupo puede fortalecer la comunidad parroquial o involucrarse en la evangelización.

SÍMBOLO DEL ESPÍRITU SANTO

Fuego El fuego purifica, calienta y da luz. Simboliza la energía transformadora del Espíritu. Juan el Bautista proclamó que Jesús "los bautizará con el Espíritu Santo y el fuego" (*Lucas 3, 16*). Jesús vino "a traer fuego a la tierra" (*Lucas 12, 49*) y, en Pentecostés, el Espíritu vino en forma de lenguas "como de fuego" (*Hechos 2, 3-4*). Pablo también usa la imagen y dice "No apaguen el Espíritu" (*1 Tesalonicenses 5, 19*).

? ¿De qué maneras este símbolo del Espíritu Santo se aplica a tu peregrinar en la fe mientras te preparas para la Confirmación?

_____

_____

_____

_____

_____

_____

Using the Gifts of the Spirit

The Gifts of the Holy Spirit call us to be responsible members of the Church and to help others come to know and love Jesus and his Church.

We are not disciples of Jesus alone. We share the faith of the Church as a whole and our local parish community. We depend on one another for support in our faith, for prayer, for guidance, and for good example. Our parish communities depend on our participation in other ways too. Parishes need young people involved in liturgy, helping out with service projects, and participating in faith-sharing groups and religious education sessions.

Evangelization

We are also responsible to *evangelize* or bring the Good News of Jesus to others. In order to evangelize, people need to know Jesus and have a good relationship with him. Then evangelization becomes easier, because when you have a good relationship with Jesus, you will want to share it with others.

You evangelize when you talk to others about how important your faith is, or when you consciously use your gifts to take care of the poor and needy, or when you work for justice. You evangelize when you try to live out the call to holiness you first received in Baptism. Evangelization can be done in your home, in the hallways, on the athletic field, in your school, and in your neighborhood.

THINK ABOUT IT

Think about times people have told you that you were responsible or irresponsible. How did that make you feel?

TALK ABOUT IT

In a small group, discuss ways that you as a group can build up the parish community or be involved in evangelization.

SYMBOL OF THE HOLY SPIRIT

? In what ways does this symbol of the Holy Spirit apply to your faith journey as you prepare for Confirmation?

Fire Fire purifies, warms, and gives light. It symbolizes the transforming energy of the Spirit. John the Baptist proclaimed that Jesus would "baptize you with the Holy Spirit and fire" (*Luke 3:16*). Jesus came "to bring fire to the earth" (*Luke 12:49*) and, on Pentecost, the Spirit came in the form of tongues "as of fire" (*Acts 2:3–4*). Paul also uses the image saying, "Do not quench the Spirit" (*1 Thessalonians 5:19*).

Testimonio de fe

Datos biográficos

Beata Kateri Tekakwitha
Lirio de los mohicanos

1656 Nace en Auriesville, Nueva York. La llaman Tekakwitha, que significa "poner las cosas en orden".

1660 Una epidemia de varicela deja a Tekakwitha desfigurada, parcialmente ciega y huérfana. Se va a vivir con sus tías y un tío que es un jefe mohicano.

1667 Los jesuitas llegan a la aldea de Tekakwitha a predicar sobre el cristianismo y Tekakwitha se convierte en creyente.

1676 Tekakwitha se bautiza el Domingo de Pascua y recibe el nombre de Kateri (Catalina).

1677 Kateri se escapa a la aldea cristiana de Caughnawaga en Québec.

1680 Kateri muere tras un año de sufrimiento.

1943 Kateri es declarada venerable por el Papa Pío XII.

1980 Kateri es la primera amerindia y la primera mujer laica de Estados Unidos que es declarada beata por el Papa Juan Pablo II.

¿Quién puede decirme qué le place más a Dios para que yo lo haga?

Patrona del ambiente y la ecología, también conocida como la evangelizadora de los indios americanos.

Practiquemos nuestra fe

Cuando me preparaba para recibir el sacramento de la Confirmación, me pidieron que escogiera un nombre de Confirmación. Comencé por escoger uno, pero terminé escogiendo a una persona. Todas las chicas de mi clase escogieron nombres sencillos y de santos conocidos. Yo quería ser diferente. Mientras me preparaba para la Confirmación, asistía a una escuela donde me sentía como una extraña. Yo era independiente y no tenía miedo de ir en contra de la corriente. Así que busqué una santa que fuera diferente e independiente. Encontré a la beata Kateri y leí sobre su vida. Me pareció fantástica, especialmente por su sentido de independencia. Me gustó el hecho de que no permitió que la desfiguración de su rostro fuese un obstáculo para ella y de que no se quejase de su condición de huérfana. Por el contrario, se marchó sola y dirigió su propio grupo, y lo logró sin la ayuda de nadie. Por eso la escogí. Sé que su espíritu está vivo en mí. Aun después de la Confirmación, sigo siendo independiente, y todavía oro a Kateri para que me ayude a hacer lo correcto.

Jessica W.

Witness of Faith

Bio Stats

Blessed Kateri Tekakwitha
Lily of the Mohawks

1656 She is born in Auriesville, New York.

1660 Smallpox epidemic leaves her orphaned, disfigured, and partially blind, so she is called Tekakwitha, which means, "one who walks groping for her way." Poetically, it is translated as "one who puts everything in order." She goes to live with her aunts and an uncle who was a Mohawk chief.

1667 The Jesuits come to Tekakwitha's village to preach about Christianity. Tekakwitha becomes a believer.

1676 Tekakwitha is baptized and receives the name Kateri (Catherine) on Easter Sunday.

1677 Kateri escapes to the Christian village of Caughnawaga in Quebec.

1680 After suffering for a year, Kateri dies.

1943 She is declared Venerable by Pope Pius XII.

1980 Kateri is the first Native American and first American laywoman declared to be Blessed by Pope John Paul II.

"Who can tell me what is most pleasing to God that I may do it?"
Patroness of Environment and Ecology
also known as the evangelizer of Native Americans

Living It Out Today

When I was confirmed, we were allowed to choose another name for our Confirmation name. I think what happened to me was I started out choosing a name and ended up choosing a person.

All the girls in my class were going for simple, well-known names and saints. I wanted to be different. At the time I was preparing for Confirmation, I was going to a school where I really felt I did not fit in. I was independent and not afraid to go against the grain. So I went looking for a different, independent saint. When I found Kateri, and read about her, I thought she was awesome, especially her independence. I loved how she did not let her disfigurement stop her, and she didn't act like a victim because she was an orphan. No, she went out on her own and led her own group of people and she did it alone with no one to help her.

So I chose Kateri. I know her spirit is alive in me. Even after Confirmation, I am still independent, and I still pray to Kateri to help me do the right thing.

Jessica W.

El cuidado de la creación de Dios

Isaías describe el reino de Dios como el más amado entre todas las criaturas de Dios. Cada criatura, cada especie es valiosísima para nuestro Creador. Sin embargo, algunas especies están desapareciendo y los recursos del mundo son consumidos sin pensar en las generaciones futuras. Al igual que la beata Kateri Tekakwitha y otros amerindios, podemos adoptar una nueva actitud y ver la tierra como una comunidad a la que pertenecemos, y no como una mercancía que nos pertenece. Además de reciclar más y conducir menos automóviles, los jóvenes pueden unirse a grupos como el Concilio para la Defensa de los Recursos Naturales, para defender las especies en peligro de extinción y proteger una porción de los bosques tropicales por medio de la Red de Acción de las Selvas Tropicales.

Centro de recursos en línea

Visiten la página **www.harcourtreligion.com** para descubrir más acerca de la doctrina social de la Iglesia Católica.

Respondamos
en fe

Mis reflexiones

Esto es lo que pienso o siento acerca del llamado a usar mis dones para beneficio de la Iglesia:

_____

_____

La parte de esta sesión que verdaderamente me sorprendió fue

_____

_____

Preparen carteles de posibilidades

Escojan uno de los dones del Espíritu Santo. Diseñen un cartel que describa la forma en que pueden usar este don en su vida. Usen fotografías, artículos de revistas, periódicos o sus propios dibujos. Escojan una de las descripciones y comiencen a practicarla esta semana.

ORACIÓN FINAL

Padre vivo y todopoderoso, derrama tu Espíritu Santo sobre nosotros para que seamos fortalecidos para poder vivir el llamado de nuestro Bautismo. Haznos receptivos a los dones del Espíritu Santo para que podamos crecer en conocimiento y amor de tu Hijo, Jesús, convertirnos en mensajeros de la Buena Nueva y adelantar tu reino aquí en la tierra. Te lo pedimos en nombre de Jesucristo, tu Hijo, que vive y reina contigo en la unidad del Espíritu Santo y es Dios por los siglos de los siglos. Amén.

Faith in Action

Care for God's Creation

Isaiah describes God's kingdom as a beloved community of all God's creatures. Every creature, every species is precious to our Creator. But species are being made extinct and the world's resources are being gobbled up with little thought of future generations. Like Blessed Kateri Tekakwitha and other Native Americans, we can adopt a new attitude toward the earth as a community to which we belong, not as a commodity belonging to us. Besides recycling more and driving less, youth can join with groups like the Natural Resources Defense Council to defend endangered species and protect a portion of the world's rainforests through the Rainforest Action Network.

 Visit **www.harcourtreligion.com** to discover more about Catholic social teachings.

Respond in Faith

My Thoughts

This is what I feel or think about the call to use my gifts for the benefit of the Church:

_____

_____

The part of this session that really surprised me was

_____

_____

Make Possibility Posters

Choose one of the Gifts of the Holy Spirit. Using pictures and articles from magazines or newspapers, or your own sketches, design a poster that describes how you can use this Gift in your life. Choose one of your descriptions and start to practice it this week.

CLOSING PRAYER

All powerful and living Father,
Pour out your Holy Spirit on us that we may be strengthened to live out the call of our Baptism. Open us to be responsive to the Gifts of the Holy Spirit that we may grow in knowledge and love of your Son, Jesus, become messengers of the Good News, and further your kingdom here on earth.
We ask this in the name of Jesus Christ, who is Lord.

Amen.

Respondan
en fe

ÉNFASIS DE NUESTRO MISTERIO DE FE

Conversen sobre las siguientes verdades de la fe. Concéntrense en cómo estas verdades de la fe tienen o podrían tener hoy un efecto en sus vidas. Consulten la lección si es necesario.

- Recibimos los dones del Espíritu Santo en la Confirmación.

- Estos dones son ayudas, poderes e inclinaciones para vivir nuestra fe, crecer en nuestra relación con Jesús, el Hijo de Dios y beneficiar a la comunidad.

- La conversión cristiana es un proceso que nos encamina a ser y actuar como discípulos o seguidores de Jesús.

ÉNFASIS DEL RITO

Durante la celebración, los candidatos experimentan un ritual de bendición. Al terminar la sesión, coloquen la mano derecha sobre la cabeza del candidato y oren la siguiente bendición:

Padre, te pedimos que envíes tu bendición sobre [Nombre] para que (él o ella) pueda crecer en madurez cristiana y que, por el poder del Espíritu Santo, llegue a dar testimonio de Cristo en este mundo y propague y defienda su fe. Te lo pedimos por Jesucristo, nuestro Señor.

Amén.

Adaptado del *Bendicional*, 150

Actúen juntos

Escojan una actividad que puedan realizar juntos, en la que cada uno use sus dones para el beneficio de los demás. Verifiquen si la actividad puede ser parte del proyecto de servicio del candidato.

SUGERENCIAS:

- Ofrecerse como voluntario para ayudar en una actividad de la parroquia.

- Preparar una comida para alguien que no puede salir de su casa.

- Leer la Sagrada Escritura y tener una conversación sobre ésta durante una comida familiar.

SER CATÓLICO

Para el padrino o miembro de la familia: Dialoguen sobre las siguientes citas de católicos famosos. Concéntrense en cómo pueden ponerlas en práctica en su vida.

❝**Sean amables y misericordiosos. No dejen que nadie llegue adonde ustedes sin que se vaya mejor y más feliz. Sean la tierna expresión de la bondad de Dios**❞.

— Beata Madre Teresa

COMPARTAN JUNTOS

Para el padrino o miembro de la familia: Lean la siguiente lista de dones y talentos. Encierren en un círculo los que se evidencian en el candidato. Conversen sobre esos dones e indiquen cómo pueden usarse para el beneficio de la comunidad de fe.

artístico	observador
atlético	de mente abierta
valiente	pacificador
listo	persistente
comprensivo	reflexivo
creativo	religioso
resuelto	responsable
confiable	firme
de buena disposición	comunicativo
enérgico	confiable
generoso	único
servicial	_____
honrado	_____
inteligente	_____
justo	_____
amable	_____
leal	_____

Para el padrino o miembro de la familia: Reflexionen acerca de sus experiencias al vivir los dones del Espíritu Santo.

Piensen en una experiencia de conversión en sus vidas y compártanla con su candidato.

❝ Nunca tengan prisa. Hagan todo en silencio y con tranquilidad. No pierdan la paz interior por nada en el mundo, aun cuando todo el mundo parezca estar alterado ❞.
— San Francisco de Sales

❝ La prueba del amor está en las obras ❞.
— Papa San Gregorio el Grande

Respond
in Faith Together

FAITH FOCUS

Discuss the following beliefs together. Focus on how these beliefs have or could have an effect on your lives today. Refer to the lesson if necessary.

- We receive the Gifts of the Holy Spirit at Confirmation.

- These gifts are helps, powers, and inclinations to act in ways that will help us grow in our relationship to Jesus, the Son of God, and benefit the community.

- Christian conversion is a movement toward being and acting as disciples or followers of Jesus.

RITUAL FOCUS

During the celebration, the candidates experienced a ritual of blessing. At the end of your time together, place your right hand on the candidate's head and pray the following blessing.

I pray that you, Father, will send your blessing on [Name] so that (he/she) may grow in Christian maturity and that, by the power of the Holy Spirit, will become Christ's witness in the world, spreading and defending the faith. I ask this through Christ our Lord.

Amen.

Adapted from the *Book of Blessings*, 150

ACT TOGETHER

Decide on an activity that you can do together where each of you uses your gifts for the benefit of others. Check to see if it can be a part of the candidate's service project.

Suggestions:
- Volunteer to help in a parish activity.
- Prepare a meal for someone who is homebound.
- Do a Scripture reading and have a discussion at a family meal.

BEING CATHOLIC

To the Sponsor or Family Member: Discuss these quotes from famous Catholics. Focus on how they apply to your life.

❝ **Be kind and merciful. Let no one ever come to you without coming away better and happier. Be the loving expression of God's kindness.** ❞
— Blessed Mother Teresa

SHARE TOGETHER

To the Sponsor or Family Member: Look over the list of gifts and talents below. Circle those you see evident in the candidate. Discuss them together and point out how they can be used to benefit the faith community.

Artistic	Observant
Athletic	Open-minded
Brave	Peacemaker
Bright	Persistent
Caring	Reflective
Creative	Religious
Decisive	Responsible
Dependable	Steadfast
Easygoing	Talkative
Energetic	Trustworthy
Generous	Unique
Helpful	_____
Honest	_____
Intelligent	_____
Just	_____
Kind	_____
Loyal	_____

To the Sponsor or Family Member: Reflect on how you have experienced the Gifts of the Holy Spirit in your life.

Think of an experience of conversion in your life and share it with the young person.

66 **Never be in a hurry; do everything quietly and in a calm spirit. Do not lose your inner peace for anything whatsoever, even if your whole world seems upset.** 99

— Saint Francis de Sales

66 **The proof of love is in the works.** 99

— Pope Saint Gregory the Great

Ungidos por el Espíritu

Rito de apertura
Procesión con la Sagrada Escritura

🎼 *Cantemos.*

Líder: Oremos.

Todos: *Hagamos la señal de la cruz.*

Líder: Dios, Padre, enviaste a Jesús para traernos la Buena Nueva. Que podamos reconocer el poder de la unción y comprendamos que somos llamados a continuar sirviendo a los necesitados. Que siempre te alabemos en unión a tu Hijo Jesús y al Espíritu Santo, que vive y reina por los siglos de los siglos.

Todos: Amén.

Anointed by the Spirit

Gathering Rite
Procession with the Word

🎼 *Sing together.*

Your Spirit, O God, is upon me,
you have anointed me.

"You Have Anointed Me," © 1981, Damean Music

Leader: Let us pray.

All: *Pray the Sign of the Cross together.*

Leader: God, our Father, you sent Jesus to bring us the Good News. May we recognize the power of anointing and come to know that we are called to continue to serve those in need. May we always praise you, your Son, Jesus, and the Holy Spirit, who lives and reigns forever and ever.

All: Amen.

comunidad, que los que están enfermos sientan la presencia sanadora de Cristo.

El óleo de los catecúmenos.

Se trae el óleo de los catecúmenos.
Cantemos otro verso del canto de entrada.

Ungidos con este óleo y asistidos por el ejemplo de esta comunidad, que nuestros catecúmenos perseveren en su peregrinar hacia las aguas salvadoras del Bautismo y participen de la victoria de Cristo sobre el pecado y el mal.

El óleo del crisma.

Se trae el óleo del crisma.
Cantemos otro verso del canto de entrada.

A través de la unción con el crisma, que todos los que están bautizados y confirmados, todos los que están ordenados al servicio del pueblo de Dios y la asamblea parroquial, cuyo altar e iglesia están dedicados a la gloria de Dios, llenen el mundo con la dulce fragancia de los Evangelios de Cristo y que sean afirmados como rocas vivientes en un templo lleno del Espíritu Santo.

Oremos como Jesús nos enseñó.

Oremos el Padrenuestro.

Celebración de la Palabra

Líder: Lectura del Libro del profeta Isaías.
Leamos Isaías 61, 1-3; 6, 8-9.
Palabra del Señor.

Todos: Demos gracias a Dios.

Reflexionemos en silencio.

Mientras se preparan para la Confirmación, ¿qué significa para ustedes ser parte de "un pueblo bendecido por Dios"?

ÉNFASIS DEL RITO

Procesión con los óleos

Líder: Durante la Semana Santa, nuestra comunidad parroquial recibió del Arzobispo u Obispo [Nombre] los santos óleos bendecidos y consagrados para la vida sacramental de la comunidad.

El óleo de los enfermos.

Se trae el óleo de los enfermos.
Cantemos un verso del canto de entrada.

Por medio de la imposición de manos y de la unción con óleo, y con el apoyo de la oración de esta

¡Evangelicemos!

Líder: Oremos.

Dios, Padre, permite que el Espíritu Santo que enviaste a tu Iglesia nos unja y selle para que podamos predicar el Evangelio y continuar tu obra en el mundo. Te lo pedimos por nuestro Señor Jesucristo, tu Hijo, que vive y reina contigo y con el Espíritu Santo, un solo Dios, por los siglos de los siglos.

Todos: Amén.

 Repitamos el canto de entrada.

Celebration of the Word

Leader: A reading from the Book of the prophet Isaiah.
Read Isaiah 61:1–3, 6, 8—9.
The word of the Lord.

All: Thanks be to God.

Reflect silently.

❓ What does being a part of "a people blessed by God" mean for you as you prepare for Confirmation?

RITUAL FOCUS

Procession with Oils

Leader: During Holy Week, our parish community received from (Arch)Bishop [Name] the holy oils blessed and consecrated for the sacramental life of the community.

The oil of the sick.

The oil of the sick is brought forward.
Sing a verse of the opening song.

By laying on of hands and anointing with this oil, and with the prayerful support of this community, may those who are sick experience the healing presence of Christ.

The oil of catechumens.

The oil of catechumens is brought forward.
Sing a verse of the opening song.

Anointed with this oil and assisted by this community's example, may our catechumens persevere in their journey to the saving waters of Baptism and share in Christ's victory over sin and the power of evil.

The oil of chrism.

The oil of chrism is brought forward.
Sing a verse of the opening song.

Through the anointing with chrism, may all who are baptized and confirmed, all who are ordained to the service of God's people, and the parish assembly whose altar and church are dedicated to God's glory, fill the world with the sweet fragrance of Christ's Gospel and be built up as living stones into a temple filled with the Holy Spirit.

Let us pray as Jesus has taught us.

Pray the Lord's Prayer together.

We Go Forth

Leader: Let us pray.

God, our Father, let the Holy Spirit you sent to your Church anoint and seal us that we may preach the Gospel and continue your work in the world. We ask this through our Lord Jesus Christ, your Son, who lives and reigns with you and the Holy Spirit, one God, forever and ever.

All: Amen.

🎼 *Sing again the opening song.*

El óleo consagrado

⭐ Reflexionemos
acerca de la celebración

Mis reflexiones

En el espacio que sigue, escriban un poema, una canción de rap o preparen un cartel de palabras acerca de la importancia del óleo en la vida diaria.

Compartamos nuestra fe

▶ Con un compañero o en un grupo pequeño compartan los poemas o los carteles. ¿Qué significa para los jóvenes que están recibiendo la Confirmación ser ungidos con el óleo consagrado del crisma?

▶ Juntos elaboren una declaración.

SIGNOS DE FE

Sacramentales Las acciones, signos sagrados u objetos que están bendecidos por la Iglesia y que ayudan a las personas a orar o pensar en Dios se llaman *sacramentales*. Los sacramentales como el agua bendita, las medallas, las estatuas, los santos óleos, las bendiciones y el incienso no son sacramentos porque fueron instituidos por la Iglesia y no por Cristo. Tampoco otorgan gracia como los sacramentos, pero ayudan a la persona a responder a la gracia que recibe en los sacramentos y la conduce al crecimiento en su devoción, vida de oración, fe y caridad. La bendición es uno de los sacramentales más importantes. Por medio de las bendiciones alabamos a Dios por sus obras y dones y oramos para que nosotros y otras personas usen los sacramentales de Dios de manera que reflejen el mensaje del Evangelio.

? Nombren un sacramental que hayan usado o que hayan visto usar a otra persona. Expliquen cómo los sacramentales pueden ayudar a las personas al crecimiento en su devoción, vida de oración, fe y caridad.

_____

_____

_____

_____

_____

_____

_____

_____

Holy Oil

⭐ Reflect
on the Celebration

My Thoughts 📎

In the space below, create a poem, rap, or word collage about the significance of oil in your daily life.

Faith Sharing

▶ With a partner or in a small group, share your word collages or poems. What does being anointed with the holy oil of chrism mean for young people being confirmed?

▶ Together come up with a statement.

✝ SIGNS OF FAITH

Sacramentals Actions, sacred signs, or objects that are blessed by the Church and help people pray or think of God are called *sacramentals*. Sacramentals such as holy water, medals, statues, holy oils, blessings, or incense are not sacraments because they were instituted by the Church, not Christ. They also do not give grace like sacraments do. But they help a person respond to the grace received in the sacraments and lead a person to devotion, prayer, faith, and charity. Blessings are among the most important sacramentals. In blessings we praise God for his works and gifts and pray that we and others will use God's gifts in ways that reflect the Gospel message.

❓ Name one sacramental you have used or have seen someone else use. Explain how it might lead a person to devotion, prayer, faith, or charity.

_____

_____

_____

_____

_____

_____

_____

_____

La unción

Los óleos consagrados que se usan en la celebración de los sacramentos son signos del poder y la presencia del Espíritu Santo. El obispo bendice el óleo de los catecúmenos y el de los enfermos, y consagra el santo crisma, usualmente el Jueves Santo, en una misa especial llamada la Misa del Santo Crisma. Luego, cada parroquia local recibe un suministro de estos óleos.

- **El óleo de los enfermos se usa para ungir a los que están enfermos.**

- **El óleo de los catecúmenos se usa para ungir a los catecúmenos que están siendo aceptados en la Iglesia, para fortalecerlos en su peregrinar en la fe. También se usa para ungir infantes y niños antes del rito del Bautismo.**

- **El santo crisma es una combinación de aceite de oliva y bálsamo. Significa abundancia de gracia y el compromiso del servicio a Dios. El santo crisma se usa en varios sacramentos: el Bautismo, la Confirmación y el Orden sacerdotal.**

Luego del Bautismo de un infante o niño, el sacerdote o diácono le unge la cabeza con el santo crisma. Durante la Confirmación, el obispo unge con el santo crisma la frente de la persona que está siendo confirmada. Esta segunda unción, dada por el obispo, confirma y completa la unción del Bautismo. El santo crisma también se usa en la ordenación de sacerdotes y obispos. Además, se usa para consagrar un nuevo altar.

COMPARTAMOS ESTOS PUNTOS

Con un compañero o en un grupo pequeño, expresen los pensamientos, olores, sonidos o sabores que tienen cuando reflexionan sobre la palabra *óleo*.

Anointing

The holy oils used in the celebration of sacraments are signs of the power and presence of the Holy Spirit. A bishop blesses the oil of catechumens and the oil of the sick, and consecrates the holy chrism, usually on Holy Thursday, at a special Mass called the Chrism Mass. Then each local parish receives a supply of these oils.

- **The oil of the sick is used to anoint those who are sick.**

- **The oil of catechumens is used to anoint catechumens who are being accepted into the Church to strengthen them on their journey of faith. It is also used to anoint infants and young children before the Rite of Baptism.**

- **Chrism is a combination of olive oil and balsam. It signifies abundance of grace and committed service to God. Chrism is used in several sacraments: Baptism, Confirmation, and Holy Orders.**

After the Baptism of an infant or a young child, the priest or deacon anoints his or her head with chrism. During Confirmation the bishop anoints the forehead of the person being confirmed with chrism. This second anointing, given by the bishop, confirms and completes the anointing at Baptism. Chrism is also used in the ordination of bishops and priests. It is also used to consecrate a new altar.

TALK ABOUT IT

With a partner or in a small group, brainstorm the sights, smells, sounds, or tastes that come to mind when you reflect on the word *oil*.

Ungidos por el Espíritu

¿Qué significa el rito de unción?

La unción con óleo es un rito antiguo. Se usaba en las ceremonias religiosas y civiles como una acción simbólica. Separaba a quien estaba siendo ungido para un servicio especial. Encontramos historias sobre la unción en toda la Sagrada Escritura. Por ejemplo Samuel, quien fue el último de los jueces, ungió a Saúl como el primer rey de los israelitas.

La unción de Saúl

✝ LA SAGRADA ESCRITURA

"Dile a tu sirviente que se adelante un poco, pero tú quédate aquí para que te comunique una palabra de Dios".
Samuel tomó entonces un frasco de aceite y lo derramó sobre la cabeza de Saúl, luego lo abrazó y le dijo: "Yavé te ha consagrado como jefe de su pueblo Israel. Tú gobernarás el pueblo de Yavé y tú lo librarás de las manos de sus enemigos".

1 Samuel 9, 27-10, 1

Sin embargo, Saúl no fue un buen rey; dejó de seguir a Dios y no cumplió sus mandamientos. Porque rechazó a Dios y sus mandamientos, Dios envió a Samuel a Belén a buscar a otro rey de entre los hijos de Jesé.

 ¿Qué les dice el rechazo que hizo Saúl a Dios al ser ungido o escogido?

La unción de David

✝ LA SAGRADA ESCRITURA

"Yavé dijo a Samuel: "¿Hasta cuándo seguirás llorando por Saúl? ¿No fui yo quien lo rechazó para que no reine más en Israel? Llena pues tu cuerno de aceite y anda. Te envío donde Jesé de Belén, porque me escogí un rey entre sus hijos". Samuel hizo como le había dicho Yavé".

1 Samuel 16, 1, 4

Allí conoció a siete de los hijos de Jesé, pero ninguno fue escogido por Dios para ser rey.

Unción de David por Saúl

 ¿Por qué Dios le dice a Samuel que llene el cuerno con aceite?

✝ LA SAGRADA ESCRITURA

VAYAMOS A LA FUENTE
Éxodo 30, 30; 1 Reyes 1, 34;
2 Crónicas 6, 42; Hebreos 1, 9

REFLEXIONEMOS
SOBRE ESTOS PUNTOS

¿Han tenido la experiencia de haber sido escogidos para algo especial? ¿Qué dijeron o hicieron las otras personas para demostrar que ustedes eran especiales o los escogidos?

Anointed with the Spirit

THINK ABOUT IT

When in your life have you been set apart for something special? What did people say or do to show that you were set apart or special?

FAITH FOCUS

What does the Rite of Anointing signify?

Anointing with oil is an ancient ritual. It was used in both religious and civil ceremonies as a symbolic action. It set the one who was anointed apart for special service. We can find stories of anointing throughout the Scriptures. We read that Samuel, who was the last of the Judges, anointed Saul as first king of the Israelites.

Anointing of Saul

✝ SCRIPTURE

"Tell the boy to go on before us, and when he has passed on, stop here yourself for a while, that I may make known to you the word of God." Samuel took a vial of oil and poured it on his head, and kissed him; he said, "The Lord has anointed you ruler over his people Israel. You shall reign over the people of the Lord and you will save them from the hand of their enemies all around."

1 Samuel 9:27–10:1

However, Saul was not a good king. He turned away from following God and did not carry out his commands. Because he rejected God and his commands, God sent Samuel to Bethlehem to search out another king from the sons of Jesse.

 What does God's rejection of Saul tell you about being anointed or chosen?

Anointing of David

✝ SCRIPTURE

The LORD said to Samuel, "How long will you grieve over Saul? I have rejected him from being king over Israel. Fill your horn with oil and set out; I will send you to Jesse the Bethlehemite, for I have provided for myself a king among his sons." . . . Samuel did what the LORD commanded, and came to Bethlehem.

1 Samuel 16:1, 4

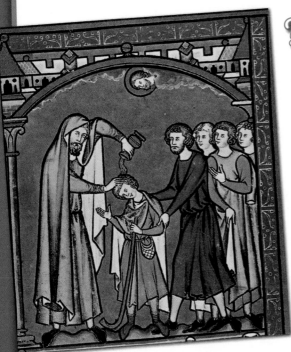
David Anointed by Samuel

There he met seven of Jesse's sons but none of them was God's choice for King.

 Why does God tell Samuel to fill his horn with oil?

107

LA SAGRADA ESCRITURA

Samuel se dio cuenta de que el Señor no había escogido a ninguno de los siete hijos y preguntó a Jesé si tenía más. Jesé contestó que había otro hijo, el más joven, David, que estaba cuidando a las ovejas. Cuando trajeron a David ante él, el Señor dijo:

*"Párate y conságralo; es él". Samuel tomó su cuerno con aceite y lo consagró en medio de sus hermanos. Desde entonces y en adelante el espíritu de Y*AVÉ *se apoderó de David.*

1 Samuel 16, 12-13

 ¿Qué significaría para un joven de hoy que el Espíritu del Señor se pose sobre él o ella?

La unción de Jesús

LA SAGRADA ESCRITURA

Cuando Pedro da la Buena Nueva de Jesús a los gentiles en Cesarea, habla de la unción de Jesús:

"Jesús de Nazaret fue consagrado por Dios, que le dio Espíritu Santo y poder. Y como Dios estaba con él, pasó haciendo el bien y sanando a los oprimidos por el diablo".

Hechos 10, 38

 ¿Qué influencia tiene el poder del Espíritu Santo sobre sus acciones?

Compartamos
la Palabra

El Salmo 23 es un canto que David escribió después de ser ungido. Describe su relación con Dios. Con un compañero o en un grupo pequeño:

▶ Lean el salmo en voz alta.

▶ Escojan su verso favorito y compartan la razón por la que lo escogieron.

▶ Elaboren una declaración que exprese por qué este salmo es una buena oración para los que han sido ungidos con el Espíritu.

Samuel realized that the Lord *had not chosen any of the seven sons and asked Jesse if he had more. Jesse replied that there was one more, his youngest son, David, who was tending sheep. When David was brought before him, the* Lord *said:*

"Rise and anoint him; for this is the one." Then Samuel took the horn of oil, and anointed him in the presence of his brothers and the spirit of the Lord *came mightily upon David from that day forward.*

1 Samuel 16:12–13

 What would it mean for a young person today if the Spirit of the Lord *came mightily* **upon him or her?**

Anointing of Jesus

 SCRIPTURE

When Peter tells the Good News about Jesus to the Gentiles in Caesarea, he speaks of Jesus' anointing:

"God anointed Jesus of Nazareth with the Holy Spirit and with power; how he went about doing good and healing all who were oppressed by the devil, for God was with him."

Acts 10:38

 How does the power of the Spirit affect your actions?

 # Share

the Word

Psalm 23 is a song that David wrote after he was anointed. It describes his relationship with God. With a partner or in a small group:

▶ Read the psalm aloud.

▶ Choose your favorite line in the psalm and share why you chose it.

▶ Come up with a statement expressing why this psalm is a good prayer for those who are anointed with the Spirit.

_____

_____

_____

_____

Sellados con el Espíritu

ÉNFASIS DE NUESTRO MISTERIO DE FE

¿Qué significa haber sido sellado con el Espíritu?

En la celebración de los sacramentos y en las bendiciones, la acción de ungir con óleo es siempre una señal de la presencia del Espíritu Santo. En el Bautismo, la unción con el santo crisma reúne al recién bautizado con Cristo quien es sacerdote, profeta y rey. Ambos términos, *Mesías* y *Cristo,* significan "El Ungido".

La unción con el óleo del santo crisma, junto con la imposición de las manos y las palabras "sé sellado con el don del Espíritu Santo", es el signo sacramental fundamental de la Confirmación. A través de esta unción recibimos un carácter espiritual y la "marca" o sello indeleble del Espíritu Santo. Esta unción señala que pertenecemos completamente a Cristo. Por esto, compartimos plenamente en su misión de predicar la Buena Nueva con nuestras palabras y acciones.

El discipulado y la misión

Cuando somos ungidos y sellados con el Espíritu Santo en el sacramento de la Confirmación, recibimos tanto dones como responsabilidades para el discipulado y la misión. Un *discípulo* es al mismo tiempo un creyente y un aprendiz. Las responsabilidades del discipulado incluyen conocer a Jesús más plenamente, por medio de

- **la lectura y reflexión de la Sagrada Escritura**
- **la oración**
- **la celebración de los sacramentos**
- **el aprender de los compañeros creyentes en la Iglesia**
- **la práctica de la caridad y justicia**

Cuando cooperamos con el Espíritu que obra en nosotros, estamos dispuestos a hacer la obra del discipulado. Tomamos parte en la misión de Jesús y la Iglesia de ir donde otras personas y llevarles el mensaje de Jesús.

Sealed with the Spirit

FAITH FOCUS

What does it mean to be sealed with the Spirit?

In the celebration of sacraments and in blessings, anointing with oil is always a sign of the presence of the Holy Spirit. In Baptism the anointing with chrism brings together the newly baptized with Christ who is priest, prophet, and king. Both the terms *Messiah* and *Christ* mean "Anointed One."

The anointing with the oil of chrism—along with the laying on of hands and the words "Be sealed with the Gift of the Holy Spirit"— is the essential sacramental sign of Confirmation. Through this anointing we receive a spiritual character and the indelible "mark" or seal of the Holy Spirit. This anointing marks us as belonging completely to Christ. Because of this, we share fully in his mission to preach the Good News in our words and actions.

Discipleship and Mission

When we are anointed and sealed with the Holy Spirit in the Sacrament of Confirmation, we are given both gifts and responsibilities for discipleship and mission. A *disciple* is both a believer and a student. The responsibilities of discipleship include coming to know Jesus more fully through

- **reading and thinking about the Scriptures**
- **praying**
- **celebrating the sacraments**
- **learning from fellow believers in the Church**
- **doing acts of charity and justice**

When we cooperate with the Spirit at work in us, we are willing to do the work of discipleship. We take part in the mission of Jesus and the Church to reach out and bring the message of Jesus to others.

La unción con el santo crisma

Oración para la consagración del óleo y el santo crisma

*Padre, por el poder de tu amor,
haz de esta mezcla de aceite y
perfume un signo y la fuente
de tu bendición.
Derrama los dones de tu Espíritu Santo
sobre nuestros hermanos
y hermanas que serán ungidos
con ella.
Permite que el esplendor de la
santidad brille en el mundo desde
cada lugar y de todo lo que ha sido bendecido
con este aceite.*

Ritual para la bendición del aceite y el santo crisma.
Misal Romano, apéndice II, 25

A través de la unción con el santo crisma en el sacramento de la confirmación, recibimos el maravilloso don de la elección de Dios para incluirnos en su servicio y misión. Durante la celebración, cada candidato es presentado al obispo. El padrino o miembro de la familia le da el nombre del candidato al obispo o al sacerdote de confirmación. Éste entonces moja el pulgar derecho en el santo crisma y hará la señal de la cruz en la frente del candidato, a la vez que dice:

Obispo: *[Nombre], recibe por esta señal el Don del Espíritu Santo.*
Candidato: *Amén.*
Obispo: *La paz esté contigo.*
Candidato: *Y con tu espíritu.*

Ritual para la confirmación, 27

COMPARTAMOS ESTOS PUNTOS

Dios nos escoge para continuar su misión aquí en la tierra. Preguntémonos: "¿lo que estoy haciendo es parte de la misión de Dios para mí?" Dialoguen sobre su respuesta con un compañero si se sienten cómodos haciéndolo.

SÍMBOLO DEL ESPÍRITU SANTO

Sello En los sacramentos del Bautismo, la Confirmación y el Orden Sacerdotal, la unción visible con crisma indica el sello invisible que la persona obtiene por y con el Espíritu Santo. También indica el efecto permanente de la presencia del Espíritu Santo en aquellos que son ungidos. Este símbolo refleja el hecho de que cada uno de estos sacramentos concede al que los recibe una marca indeleble llamada carácter sacramental. Por eso, sólo se pueden recibir una vez.

? ¿Qué significa para ustedes este símbolo del Espíritu Santo mientras realizan su peregrinar en la fe?

_____
_____
_____
_____
_____
_____
_____
_____

Anointing with Chrism

Prayer for the Blessing of Oils and Chrism

*Father, by the power of your love,
 make this mixture of oil and perfume
 a sign and source of your blessing.
Pour out the gifts of your Holy Spirit
 on our brothers and sisters who will
 be anointed with it.
Let the splendor of holiness shine on
 the world from every place and
 thing signed with this oil.*

Rite of Blessing Oils and Chrism,
Roman Missal Appendix II, 25

Through the anointing with chrism in the Sacrament of Confirmation, we receive the wonderful gift of God's choice to include us in his service and mission. During the celebration, each candidate is presented to the bishop. Either the candidate or sponsor gives the bishop, or confirming priest, the young person's name. The bishop or priest will then dip his right thumb in the chrism and make the Sign of the Cross on the forehead of the candidate saying:

Bishop: *[Name], be sealed with the gift of the Holy Spirit.*
Candidate: *Amen.*
Bishop: *Peace be with you.*
Candidate: *And also with you.*

Rite of Confirmation, 27

TALK ABOUT IT

God chooses us to continue his mission here on earth. Ask yourself the question:
"Is what I am doing part of God's mission for me?"
Discuss your answer with a parther if you feel comfortable doing so.

SYMBOL OF THE HOLY SPIRIT

Seal In the Sacraments of Baptism, Confirmation, and Holy Orders, the visible anointing with chrism points to the invisible sealing of the person by and with the Holy Spirit. It also indicates the permanent effect of the Holy Spirit's presence on those who are anointed. This symbol reflects the fact that each of these sacraments bestows on the one receiving the sacrament an indelible mark called a sacramental character. For that reason, they may only be received once.

 What does this symbol of the Holy Spirit mean to you as you make your faith journey?

_____

_____

_____

_____

_____

_____

_____

_____

_____

Testimonio de fe

Datos biográficos

Dorothy Day, Sierva de Dios

1897 Dorothy nace en Brooklyn, estado de Nueva York.

1906 Su familia se muda a un edificio de apartamentos de alquiler en Chicago luego de que su padre pierde el trabajo.

1926 Comienza la instrucción para convertirse en católica.

1927 Nace su hija Tamara y Dorothy se convierte en católica.

1932 Conoce a Peter Maurin y comienzan las Casas de los obreros católicos.

1933 Se publica el primer ejemplar de *The Catholic Worker* ["El obrero católico"].

1941 Se establecen más de 100 Casas de los obreros católicos.

1952 Se publica la autobiografía de Dorothy, *The Long Loneliness* ["Larga soledad"].

1955 Dorothy se convierte en una oblata benedictina laica.

1963 Se publica la historia del Movimiento obrero católico, *Loaves and Fishes* [Los panes y los peces].

1980 Muere Dorothy.

2000 El Vaticano declara a Dorothy "Sierva de Dios". La arquidiócesis de Nueva York abre el proceso de canonización.

"El mayor desafío del día es: cómo lograr una revolución del corazón".

Practiquemos nuestra fe

Cuando llegó el momento de buscar mi nombre de Confirmación, me di cuenta de que mi hermana y mi hermano tenían nombres que deletreaban una palabra en inglés con las iniciales. Mi hermano, Frank Anthony Tomas (FAT), y mi hermana, Catherine Anne Theresa (CAT). Mi nombre es Rita Ellen. Mi color preferido es el rojo, así que quise que mis iniciales deletrearan RED (rojo, en inglés). Escogí un nombre que empieza con D: Dorothy.

Nuestra clase de Confirmación fue a servir una comida a la Casa del Obrero Católico en nuestra ciudad como parte de nuestro proyecto de servicio. Fue entonces cuando supe de Dorothy Day. Su vida me intrigó. No se convirtió al catolicismo hasta que cumplió 30 años, pero siempre estuvo buscando a Dios. Para ella, el amor y la responsabilidad hacia su prójimo era algo muy importante. Se preguntaba por qué no había más santos que "no sólo cuidaran a los esclavos, sino que acabaran con la esclavitud". Dorothy Day siguió el llamado cristiano de hacer lo que fuera necesario para cambiar las estructuras que mantenían pobre y oprimida a la gente. Llegó a ser una luz para los más pobres entre los pobres y para la comunidad cristiana.

Escogí a Dorothy como mi patrona. Aún no ha sido canonizada, pero es un buen modelo para mí.

Rita E.

Witness of Faith

Bio Stats

Dorothy Day, Servant of God

1897   Dorothy is born in Brooklyn, New York.

1906   Her family moves into a Chicago tenement after her father loses his job.

1926   She begins instructions to become a Catholic.

1927   Her daughter Tamara is born. Dorothy becomes a Catholic.

1932   She meets Peter Maurin and Catholic Worker Houses are begun.

1933   The first issue of *The Catholic Worker* is published.

1941   More than 100 Catholic Worker Houses are established.

1952   Dorothy's autobiography, *The Long Loneliness*, is published.

1955   She becomes a Benedictine lay oblate.

1963   *Loaves and Fishes*, the story of the Catholic Worker Movement, is published.

1980   Dorothy dies.

2000   The Vatican declares Dorothy a "Servant of God." The Archdiocese of New York opens the process for canonization.

"The greatest challenge of the day is: how to bring about a revolution of the heart."

Living It Out Today

When it came time for me to look at Confirmation names, I realized that my sister and brother each had names that spelled a word with their initials. My brother was Frank Anthony Thomas (FAT) and my sister was Catherine Anne Theresa (CAT). My name is Rita Ellen. My favorite color is red so I wanted my initials to spell RED. I chose a name that began with D—Dorothy.

Our Confirmation class went to serve a meal at a Catholic Worker House in our city as part of our service project. That was when I heard about Dorothy Day. Her life intrigued me. She did not become a Catholic until she was thirty, but she was always searching for God. She took love and responsibility for her neighbor seriously. She wondered why there were not more saints who would "not just minister to slaves but [who would] do away with slavery." Dorothy Day followed the Christian's call to do what needed to be done to change structures that kept people poor and oppressed. She became a light to the poorest of the poor and the Christian community.

I chose this Dorothy as my patron. She is not a saint yet, but she is a good model for me.

Rita E.   115

Fe en acción

La dignidad del trabajo y los derechos de los trabajadores

Isaías proporcionó la visión y Dorothy Day la puso en práctica. Al ser ungidos por el Espíritu de Dios, somos enviados a llevar la Buena Nueva a los oprimidos y libertad a los presos. Podemos hacer esto abogando por trabajos con salarios dignos para los ex presidiarios y los trabajadores de salario mínimo, por medio de grupos como Empleos con Justicia y la Campaña por un Salario Digno. Isaías dijo que el pueblo de Dios reconstruiría ciudades y emplearía extranjeros para ayudar. Dorothy Day acogió a los inmigrantes y se opuso a la guerra, en parte porque destruía ciudades y se desperdiciaban miles de millones de dólares que debían dedicarse a la reconstrucción de ciudades y a proporcionar trabajos dignos para todos. Defendamos una política de inmigración generosa y el fin de la guerra.

Visiten la página **www.harcourtreligion.com** para descubrir más acerca de la doctrina social de la Iglesia Católica.

Respondamos
en fe

Mis reflexiones

Completen las siguientes declaraciones usando de una a tres palabras:

• Estar sellado con el Espíritu Santo es

_____

• La unción hará

_____

• Para mí, el discipulado es

_____

• Participo en la misión de Cristo

_____

Planes de servicio

Completen una de las siguientes actividades:

• Si están involucrados en un proyecto de servicio como parte de su preparación para la Confirmación, preparen un plan mensual de cómo continuarán ese servicio u otra actividad similar durante un año después de la Confirmación.

• Busquen información sobre las Obras de misericordia corporales. Escojan una de ellas y preparen un plan mensual para practicarla por un año después de la Confirmación.

ORACIÓN FINAL

Líder: Señor Dios, esperamos que derrames tu Espíritu Santo.

Todos: Ven, Espíritu Santo.

Líder: Señor Dios, esperamos tu unción.

Todos: Ven, Espíritu Santo.

Líder: Señor Dios, ven con nosotros para que proclamemos la Buena Nueva.

Todos: Ven, Espíritu Santo.

Dignity of Work and the Rights of Workers

Isaiah provided the vision and Dorothy Day provided the example. Anointed by God's Spirit, we are sent to bring Good News to the oppressed and freedom for prisoners. Advocating for jobs with a living wage for ex-prisoners and minimum-wage workers through groups like Jobs with Justice and the Living Wage Campaign are good ways to do this. Isaiah said that God's people would rebuild cities and hire foreigners to help. Dorothy Day welcomed immigrants and opposed war in part because it destroyed cities and wasted billions of dollars that should have gone toward rebuilding cities and providing meaningful work for all. Advocate for a generous immigration policy and an end to war.

 Visit **www.harcourtreligion.com** to discover more about Catholic social teachings.

✵ Respond
in Faith

My Thoughts

Complete the following statements with one to three words:

• To be sealed with the Holy Spirit is

_____

• Anointing will

_____

• For me, discipleship is

_____

• I participate in Christ's mission

_____

Service Plans

Complete one of these activities:

• If you are involved in a service project as a part of your preparation for Confirmation, develop a monthly plan of how you will continue that service or something similar for one year after Confirmation.

• Research the Corporal Works of Mercy. Choose one of them and develop a monthly plan to practice it for one year after Confirmation.

 CLOSING PRAYER

Leader: Lord God, we wait for the pouring out of your Holy Spirit.
All: Come, Holy Spirit.
Leader: Lord God, we hope for your anointing.
All: Come, Holy Spirit.
Leader: Lord God, be with us that we may proclaim the Good News.
All: Come, Holy Spirit.

⚡ Respondan
en fe

ÉNFASIS DE NUESTRO MISTERIO DE FE

Conversen acerca de las siguientes verdades de la fe. Concéntrense en cómo estas verdades de la fe tienen o podrían tener hoy un efecto en sus vidas. Consulten la lección si es necesario.

- Los óleos consagrados que se usan en la celebración de los sacramentos son signos del poder y la presencia del Espíritu Santo.

- Ungir significa ser escogido y sellado con el Espíritu Santo.

- En la Confirmación, somos ungidos para el discipulado y la misión.

ÉNFASIS DEL RITO

Durante la celebración, los candidatos participan en una procesión con óleos. Discutan el concepto de ser ungido y oren juntos la oración final de la celebración en la página 116.

Actúen juntos

Conversen acerca del progreso del proyecto de servicio del candidato, si tiene uno. Decidan qué pueden hacer juntos para mejorar el proyecto. Si no tiene un proyecto de servicio formal, consulten el plan de acción (página 116) que está desarrollando el candidato acerca de una de las obras de misericordia y escojan una actividad que puedan hacer juntos.

SER CATÓLICO

Para el padrino o miembro de la familia: Reflexionen sobre las siguientes citas de católicos famosos y conversen sobre la relación que tienen con ser ungido con el espíritu.

❝ **El mundo es muy diferente ahora, puesto que el hombre tiene en sus manos mortales el poder de abolir toda clase de pobreza humana y toda clase de vida humana** ❞.

— John F. Kennedy

COMpARtAN juNtoS

Para el padrino o miembro de la familia: Dediquen un tiempo para estudiar lo que ha pasado mientras han compartido mutuamente las cinco sesiones anteriores. Compartan entre ustedes las respuestas a las siguientes declaraciones:

Mi fe ha crecido porque . . .

Aprendí que eres . . .

El Espíritu Santo se ha hecho más . . . para mí

Me has ayudado a . . .

El mayor logro que quiero obtener durante el resto de este tiempo de preparación es . . .

Para el padrino o miembro de la familia: La unción con los santos óleos es signo de consagración, bendición y sanación.

Reflexionen acerca de sus propias experiencias de haber sido consagrados, bendecidos y sanados. ¿Cómo estas experiencias han hecho un cambio en su vida? ¿Cómo estas experiencias han contribuido al bien de los demás?

❝ **No hay situaciones desesperadas; sólo hay personas que se han desesperado respecto a ellas** ❞.
— Clare Boothe Luce

❝ **Iré a todas partes y haré lo que sea con tal de comunicar el amor de Jesús a los que no lo conocen o se han olvidado de Él** ❞.
— Santa Francis Cabrini

Respond
in Faith Together

FAITH FOCUS

Discuss together the following beliefs.
Focus on how these beliefs have or could
have an effect on your lives today.
Refer to the lesson, if necessary.

- The holy oils used in the celebration of sacraments are signs of the power and presence of the Holy Spirit.

- Anointing signifies being chosen and sealed with the Holy Spirit.

- In Confirmation, we are anointed for discipleship and mission.

ACT TOGETHER

Discuss the progress of the candidate's service project, if there is one. Decide on one thing you can do together to enhance the project. If there is no formal service project, refer to the action plan (page 59) the candidate is developing around one of the Works of Mercy and choose an activity you can do together.

RITUAL FOCUS

During the celebration, the candidates
experienced a procession with oils.
Discuss the concept of being anointed
and pray together the closing prayer
of the celebration on page 117.

BEING CATHOLIC

To the Sponsor or Family Member: Explore these quotes by famous Catholics and discuss how they relate to being anointed with the Spirit.

66 **The world is very different now. For man holds in his mortal hands the power to abolish all forms of human poverty, and all forms of human life.** 99

— John F. Kennedy

SHARE TOGETHER

To the Sponsor or Family Member: Together take some time to review what has happened as you have shared with each other over these past five sessions. Share your responses to the following with each other:

My faith has grown because . . .

I learned that you are . . .

The Holy Spirit has become more . . . to me

You have helped me . . .

What I most want to accomplish in the rest of this time of preparation is . . .

To the Sponsor or Family Member: Anointing with holy oils is a sign of consecration, blessing, and healing.

Reflect on your own experiences of being consecrated, blessed, and healed. How have these experiences made a difference in your life? How have they contributed to the good of others?

❝ **There are no hopeless situations; there are only people who have grown hopeless about them.** ❞
— Clare Boothe Luce

❝ **I will go anywhere and do anything in order to communicate the love of Jesus to those who do not know Him or have forgotten Him.** ❞
— Saint Frances Cabrini

Santificados
por el Espíritu

Rito de apertura
Procesión con la Sagrada Escritura

 Cantemos.

Líder: Oremos.

Todos: *Hagamos la señal de la cruz.*

Líder: Dios, Padre, te alabamos y damos gracias por todos los hombres y mujeres santos en todos los tiempos y lugares. Te pedimos que nunca dejen de interceder por nosotros y que sus oraciones nos acerquen más a ti. Te lo pedimos por medio de nuestro Señor Jesucristo, tu Hijo, que vive y reina contigo y en la unidad del Espíritu Santo, y es Dios, por los siglos de los siglos.

Todos: Amén.

Celebración de la Palabra

Líder: Lectura de la Primera carta de San Juan.
Leamos 1 Juan 3, 1-3.
Palabra del Señor.

Todos: Demos gracias a Dios.

Reflexionemos en silencio.

¿Cómo se aplicarían las palabras, "seremos como Él"?

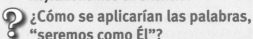

ÉNFASIS DEL RITO

La letanía de los santos y la bendición con incienso

Líder: Pidamos a los santos que oren por nosotros, para que podamos llevar la luz de nuestro bautismo al mundo que nos rodea.

session **6**

Sanctified
by the Spirit

Gathering Rite
Procession with the Word

 Sing together.

Lord, have mercy.
Christ, have mercy.
Lord, have mercy.

"Litany of the Saints," text © 1973, ICEL

Leader: Let us pray.

All: *Pray the Sign of the Cross together.*

Leader: God our Father, we give you praise and thanks for all the holy men and women of every time and place. May they never stop interceding for us and may their prayers bring us closer to you. We ask this through our Lord Jesus Christ, your Son, who lives and reigns with you and the Holy Spirit, one God, forever and ever.

All: Amen.

Celebration of the Word

Leader: A reading from the First Letter of John.
Read 1 John 3:1–3.
The word of the Lord.

All: Thanks be to God.

Reflect silently.

 How would you apply the words "we will be like him" to yourself?

RITUAL FOCUS

Litany of Saints and Blessing with Incense

Leader: Let us ask the saints to pray for us, that we may be able to carry the light of our Baptism into the world around us.

Todos: *Respondamos "Oren por nosotros", después de cada petición.*

Líder: Santa Ana y San Joaquín

San Pedro y San Pablo

San Francisco de Asís y Santa Teresa de Lisieux

Santa Mónica y San Agustín

Santa Perpetua y Santa Felicita

San Esteban y Santa Inés

Santo Tomás de Aquino y Santo Domingo

Santo Juan Diego y Santa Rosa de Lima

Pueden agregar otros nombres de sus santos preferidos.

Líder: Hombres y mujeres santos de Dios.

Todos: Oren por nosotros.

Líder: Para que crezcamos en bondad y santidad y vivamos según el modelo de Jesús, el Hijo de Dios.

Todos: Amén.

Líder: *Incensen al grupo.*

Todos: *Inclinen la cabeza mientras los incensan.*

Líder: Oremos como Jesús nos enseñó.

Oremos el Padrenuestro.

¡Evangelicemos!

Líder: Oremos.

Dios, Padre, permite que el Espíritu que nos enviaste en el bautismo continúe renovándonos y haciéndonos santos para que podamos acercarnos más a ti y continuar tu obra en el mundo. Te lo pedimos por medio de nuestro Señor Jesucristo, tu Hijo, que vive y reina contigo y en la unidad del Espíritu Santo, un solo Dios, por los siglos de los siglos.

Todos: Amén.

 Repitamos el canto de entrada.

All:	*Respond: Pray for us after each petition.*
Leader:	Saint Ann and Saint Joachim
	Saint Peter and Saint Paul
	Saint Francis of Assisi and Saint Theresa of Lisieux
	Saint Monica and Saint Augustine
	Saint Perpetua and Saint Felicity
	Saint Stephen and Saint Agnes
	Saint Thomas Aquinas and Saint Dominic
	Saint Juan Diego and Saint Rose of Lima

Add additional favorite saints names if you wish.

Leader:	All you holy men and women saints of God.
All:	Pray for us.
Leader:	May we all grow in holiness and goodness and live after the model of Jesus, the Son of God.
All:	Amen.
Leader:	*Incense the group.*
All:	*Bow as you are incensed.*
Leader:	Let us pray as Jesus has taught us.

Pray the Lord's Prayer together.

We Go Forth

Leader:	Let us pray.
	God, our Father, let the Spirit you sent on us in Baptism continue to renew us and make us holy that we may draw closer to you and continue your work in the world. We ask this through our Lord Jesus Christ, your Son, who lives and reigns with you and the Holy Spirit, one God, forever and ever.
All:	Amen.

 Sing again the opening song.

La santidad

Reflexionemos
acerca de la celebración

Mis reflexiones

Cuando pienso en mí como una persona santa, yo

_____

_____

_____

_____

La parte de la celebración que me llamó más la atención fue

_____

_____

_____

_____

_____

Compartamos nuestra fe

▶ Con un compañero o en un grupo pequeño, compartan cuáles son sus santos preferidos y por qué los prefieren.

? ¿Qué dos cualidades importantes creen que tiene una persona santa?

▶ En un grupo pequeño, discutan con qué retos se enfrentan las personas que desean ser santas en el siglo XXI.

SIGNOS DE FE

Incienso Es una sustancia aromática que proviene de ciertos árboles resinosos y se usa para propósitos de culto religioso. La palabra *incienso* se usa para significar el humo o perfume que se eleva al quemar el incienso. Quemar incienso crea un ambiente sagrado. También demuestra profundo honor y reverencia al Señor y a las personas y cosas que son incensadas. Según el incienso se eleva, nos recuerda que nuestras oraciones se elevan hacia Dios, porque la oración es la elevación de nuestros corazones y mentes hacia Él (*Salmo 141, 2*).

? ¿Cuándo se usa el incienso durante la misa? ¿Cuáles son algunos momentos especiales en que han visto que se usa el incienso?

_____

_____

_____

_____

_____

_____

Holiness

✦ Reflect
on the Celebration

My Thoughts

When I think of myself as holy, I

_____

_____

_____

_____

The part of the celebration I paid the most attention to was

_____

_____

_____

_____

Faith Sharing

▶ With a partner or in a small group, share who your favorite saints are and what about them is attractive to you.

❓ What do you think are two important qualities of a holy person?

▶ In a small group, brainstorm what you think the challenges are to being a saint in the twenty-first century.

✝ SIGNS OF FAITH

Incense An aromatic substance that comes from certain resinous trees and is used for purposes of religious worship. The word *incense* is used to signify the smoke or perfume arising from burning incense. The burning of incense creates a sacred environment. It also shows deep honor and reverence to the Lord and to the people and objects being incensed. As incense rises, it reminds us of our prayers rising to God, for prayer is the raising of our hearts and minds to him. (See *Psalm 141:2*.)

❓ When during the Mass is incense used? What are some special times you may have seen incense used?

_____

_____

_____

_____

_____

_____

_____

127

Las personas santas

Usualmente, cuando pensamos en personas santas, no pensamos en nosotros, ni siquiera en la gente que conocemos bien. En su lugar, pensamos en personas como la Madre Teresa, San Francisco, o uno de los mártires como San Esteban. Pensamos en personas que dan testimonios extraordinarios de la vida cristiana, personas con una virtud heroica. Sabemos que un *santo* es una persona santa que ha sido canonizada. La Iglesia reconoce como santas a ciertas personas por medio de un proceso largo y solemne, o serio, llamado *canonización*. Al final de este proceso, el Papa declara que esta persona ha vivido una vida de fidelidad y es un modelo y testimonio para nosotros.

La santidad no está reservada para los santos canonizados o para los que realizan cosas asombrosas. Todos los que han sido bautizados están llamados a la santidad porque en el Bautismo formamos parte del Cuerpo de Cristo y compartimos su santidad. Las personas que oran, que tienen una relación con Jesús, que hacen buenas obras y que luchan por vivir su fe en el hogar, el trabajo, la escuela y la comunidad por lo general son santas. *Santidad* es una cualidad que tenemos porque participamos en la vida de Dios. Dios es el origen de toda santidad.

El santificador

En el Bautismo somos liberados del pecado y llegamos a ser parte de la Iglesia, el Cuerpo de Cristo. Somos miembros de "una raza elegida, una nación consagrada, un pueblo que Dios hizo suyo" (*1 Pedro 2, 9*). El Espíritu Santo habita en la Iglesia y nos convierte en un pueblo santo. La santidad es uno de los *atributos de la Iglesia*. El Espíritu Santo también habita en nosotros. Nuestros cuerpos son templos del Espíritu Santo. Uno de los títulos del Espíritu Santo es *Santificador*, que significa *hacer santo*. Por un lado, *somos* santos por medio del Bautismo. Por otro lado, continuamente crecemos en santidad por medio del poder del Espíritu Santo, que constantemente actúa en la Iglesia y en nosotros para hacernos santos y conducirnos a hacer el bien y evitar lo que está en contra de la ley de Dios. La Confirmación aumenta y profundiza nuestro conocimiento acerca del Espíritu Santo. También nos une más a Cristo y a la Iglesia.

REFLEXIONEMOS
SOBRE ESTOS PUNTOS

Piensen en personas con las que están en contacto frecuentemente. ¿A cuáles podrías llamar "santas"? ¿Cómo te sentirías si alguien te dijera, "eres santo"?

COMPARTAMOS
ESTOS PUNTOS

Con un compañero o en un grupo pequeño, conversen acerca de por qué los jóvenes, con frecuencia, no piensan en sí mismos como santo.

Holy People

Usually when we think about holy people, we do not think about ourselves or even people we know well. Instead, we think about people like Mother Teresa, Saint Francis, or one of the martyrs such as Saint Stephen. We think of people who are extraordinary witnesses of the Christian life, people with heroic virtue. We know a *saint* is a holy person who has been canonized. The Church recognizes certain people as holy through a lengthy and solemn or serious process called *canonization*. At the end of this process, the pope declares that this person has lived a life of faithfulness and is a model and witness for us.

Holiness is not reserved for canonized saints or for those who do amazing things. Everyone who is baptized is called to holiness because, in Baptism, we become a part of the Body of Christ and share in his holiness. Ordinary people who pray, who have a relationship with Jesus, who do good works, and who strive to connect their faith with their lives at home, work, school, and the larger community are holy. *Holiness* is a quality we have because we participate in God's life. God is the source of all holiness.

THINK ABOUT IT

Think of persons you come in contact with often. Which ones could you call "holy"? How would you feel if someone said to you, "You are holy"?

TALK ABOUT IT

With a partner or in a small group, discuss why young people do not often think of themselves as holy or saintly.

The Sanctifier

At Baptism we are freed from sin and become part of the Church, the Body of Christ. We become members of "a chosen race, a holy nation, God's own people" (*1 Peter 2:9*). The Holy Spirit dwells in the Church and makes us a holy people. Holiness is one of the *marks of the Church*. The Holy Spirit also dwells in us. Our bodies are temples of the Holy Spirit. One of the titles of the Holy Spirit is *Sanctifier*, which means to *make holy*. On the one hand, we *are* holy through our Baptism. On the other hand, we continually *become* holy through the power of the Holy Spirit, who constantly acts in the Church and in us to make us holy and to guide us to do good and avoid what is against God's law. Confirmation increases and deepens the sense of the Holy Spirit in us. It also joins us more closely to Christ and the Church.

La santidad cristiana

✝ LA SAGRADA ESCRITURA

VAYAMOS A LA FUENTE

Lucas 3, 21-22, 4, 1-12

COMPARTAMOS
ESTOS PUNTOS

Con un compañero o en un grupo pequeño, dialoguen sobre la personalidad que debió de tener Jesús para atraer a otros a que lo siguieran.

REFLEXIONEMOS
SOBRE ESTOS PUNTOS

Si pudieran acompañar a Jesús durante su vida pública, ¿cuáles de sus cualidades les llamaría más la atención?

¿Qué enseña Jesús acerca de la santidad?

Durante su vida en la tierra, Jesús nos mostró la forma de dar testimonio de la santidad. Un *testigo* es una persona que ofrece alguna prueba. Jesús es el mejor modelo que tenemos de la santidad de Dios porque es el Hijo de Dios. Por medio de Él aprendemos cómo debemos vivir en relación con Dios Padre y con los demás. En la *encarnación*, el Hijo de Dios asumió la naturaleza humana y se hizo hombre para salvar a todo el mundo. Jesús es Dios verdadero y hombre verdadero, plenamente divino y plenamente humano. Por esto, Él es el único mediador entre Dios y los seres humanos. Él es la cara humana de Dios. Jesús nos enseñó tanto en palabras como en acciones cómo es Dios.

✝ Jesús en Nazaret

Jesús volvió a Galilea con el poder del Espíritu, y su fama corrió por toda aquella región. Enseñaba en las sinagogas de los judíos y todos lo alababan.

Llegó a Nazaret, donde se había criado, y el sábado fue a la sinagoga, como era su costumbre. Se puso de pie para hacer la lectura, y le pasaron el libro del profeta Isaías. Jesús desenrrolló el libro y encontró el pasaje donde estaba escrito:

"El Espíritu del Señor está sobre mí.
Él me ha ungido para llevar buenas
noticias a los pobres,
para anunciar la libertad a los cautivos
y a los ciegos que pronto van a ver,
para poner en libertad a los oprimidos
y proclamar el año de gracia del Señor".

Y empezó a decirles: "Hoy se cumplen estas palabras proféticas y a ustedes les llegan noticias de ello".

Lucas 4, 14-19, 21

? ¿Qué nos dice este Evangelio acerca de la santidad?

? ¿Por qué necesitamos al Espíritu Santo para dar testimonio de santidad?

Christian Holiness

TALK ABOUT IT

With a partner or in a small group, discuss what kind of personality you think Jesus must have had to attract others to follow him.

THINK ABOUT IT

If you were a young person who was able to accompany Jesus through his public life, what qualities about him would you find most likeable?

FAITH FOCUS

What does Jesus teach about holiness?

During his life on earth, Jesus showed us how to be witnesses of holiness. A *witness* is someone who gives evidence. Jesus is the best model we have of the holiness of God because he is the Son of God. Through him we learn how we are to live in relationship with God the Father and others. In the *Incarnation*, the Son of God took on a human nature and became man in order to save all people. Jesus is true God and true man, both fully divine and fully human. Because of this, he is the one and only mediator between God and humans. He is the human face of God. Jesus showed us in both words and actions what God is like.

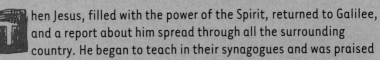

✝ Jesus at Nazareth

hen Jesus, filled with the power of the Spirit, returned to Galilee, and a report about him spread through all the surrounding country. He began to teach in their synagogues and was praised by everyone.

When he came to Nazareth, where he had been brought up, he went to the synagogue on the sabbath day, as was his custom. He stood up to read, and the scroll of the prophet Isaiah was given to him. He unrolled the scroll and found the place where it was written:

> *"The Spirit of the Lord is upon me,*
> *because he has anointed me*
> *to bring good news to the poor.*
>
> *He has sent me to proclaim release to the captives*
> *and recovery of sight to the blind,*
> *to let the oppressed go free,*
> *to proclaim the year of the Lord's favor."*

And he rolled up the scroll, gave it back to the attendant, and sat down. The eyes of all in the synagogue were fixed on him. Then he began to say to them, "Today this scripture has been fulfilled in your hearing."

Luke 4:14–19, 21

❓ What does this Gospel tell us about holiness?

❓ Why do you need the Holy Spirit to be a witness of holiness?

El Sermón de la Montaña

En un discurso inaugural, el presidente del país presenta su visión para el país durante su tiempo de gobierno. Al principio de su vida pública, Jesús predicó el Sermón de la Montaña. Muchas personas lo consideran su "discurso inaugural". Presentaba la visión de su proclamación del reino de Dios y nos dio un mapa para nuestras vidas como discípulos. En él, Jesús enseña muchas cosas acerca de lo que significa ser santo.

Una de las partes más conocidas de este pasaje del sermón son las *Bienaventuranzas*. En ellas Jesús identifica diferentes conductas o grupos de personas y las llama "benditas". Los eruditos que estudian las palabras originales de la Sagrada Escritura nos dicen que la palabra usada para "benditos" también puede significar "felices". Las Bienaventuranzas son las ocho enseñanzas de Jesús acerca del significado y el camino de la verdadera felicidad. Ellas presentan las actitudes y acciones que los seguidores de Cristo deben tener y tomar, y revelan la manera de vivir hoy en el reino de Dios. Describen la forma de lograr la santidad o felicidad eterna hacia la que Dios llama a todas las personas. Cuando hacemos la voluntad de Dios y actuamos en la manera del discipulado, podemos encontrar paz y felicidad porque estamos en armonía con Él.

 ¿Cuándo han tenido una experiencia de paz, felicidad o bendición como resultado de hacer la voluntad de Dios?

La sal y la luz

Todo lo que Jesús dijo e hizo, y todo lo que Él fue, nos enseña.

 LA SAGRADA ESCRITURA

Ustedes son la sal de la tierra. Pero si la sal se vuelve insípida, ¿cómo podrá ser salada de nuevo?... Ustedes son la luz del mundo...Hagan, pues, que brille su luz ante los hombres; que vean estas buenas obras, y por ello den gloria al Padre de ustedes que está en los Cielos.

Mateo 5, 13, 14, 16

 ¿Cómo pueden los jóvenes vivir el mandamiento de Jesús de ser "la sal de la tierra" y "la luz del mundo"?

Compartamos

 la Palabra

▶ En grupos pequeños, escojan uno de los tres capítulos del Sermón de la Montaña (*Mateo 5, 7*) y léanlo juntos.

▶ Mencionen todos los mensajes que encuentran que pueden aplicarse a la vida cristiana hoy.

▶ Hagan un diseño y un plan para una página de Internet de la clase, titulada "Santidad cristiana", basándose en las palabras y lecciones del capítulo que escogieron del Sermón de la Montaña.

Sermon on the Mount

In an inaugural address, the president of the country lays out his vision for the country during his time of service. At the beginning of his public life, Jesus preached the Sermon on the Mount. Many people consider it his "inaugural address." It set forth the vision of his proclamation of God's reign and it gave us a blueprint for our lives as disciples. In it, Jesus teaches many things about what it means to be holy.

One of the best-known parts of this Sermon passage is the *Beatitudes*. Here Jesus identifies different behaviors or groups of people and calls them "blessed." Scripture scholars who study the original words of the Scriptures tell us that the word used for "blessed" can also mean "happy." The Beatitudes are Jesus' eight teachings about the meaning and path to true happiness; they depict the attitudes and actions that followers of Christ should have, and they reveal the way to live in God's kingdom today. They describe the way to attain the eternal holiness or blessedness to which God calls all people. When we do God's will and act in the ways of discipleship, we can find peace and happiness because we are in harmony with him.

 When have you experienced peace, happiness, or blessing as a result of doing God's will?

Salt and Light

Everything Jesus said and did, and all that he was, teaches us.

 SCRIPTURE

"You are the salt of the earth; but if salt has lost its taste, how can its saltiness be restored? . . . You are the light of the world . . ., let your light shine before others, so that they may see your good works and give glory to your Father in heaven."

Matthew 5:13, 14, 16

 How can young people live out Jesus' command to be "salt of the earth" and "light of the world"?

 Share
the Word

- ▶ In small groups, choose one of the three chapters of the Sermon on the Mount (see *Matthew 5–7*) and read it together.
- ▶ Brainstorm what messages you hear for the Christian life today.
- ▶ Create a design and plan for a class Web page entitled "Christian Holiness" based on the words and lessons in the chapter you chose from the Sermon on the Mount.

Con un compañero o en un grupo pequeño, digan en qué forma el llamado a la santidad puede ser difícil para los jóvenes.

Hay personas con quienes ustedes se llevan bien: personas que los conocen y los aceptan, que tienen una buena influencia sobre ustedes, y que ustedes conocen y con quienes disfrutan el tiempo que pasan juntos. ¿Qué tipos de actividades les ayudaron a conocerse? ¿Cómo esas amistades determinan la forma en que ustedes actúan? ¿Qué pueden hacer para fortalecer sus buenas amistades?

ÉNFASIS DE NUESTRO MISTERIO DE FE

¿Cómo crecemos en santidad?

Todos los cristianos, a través del ejemplo de sus vidas y de su testimonio sobre la palabra, dondequiera que vivan, tienen la obligación de manifestar la nueva persona que han asumido en el Bautismo y de revelar el poder del Espíritu Santo, por quien fueron fortalecidos en la Confirmación . . .

Decreto sobre la actividad misionera de la Iglesia, 11

La unción en la Confirmación nos santifica y nos escoge para ser ejemplos vivos de santidad. El Espíritu Santo nos mueve o anima a profundizar en nuestra relación con Él y con la Iglesia por medio de la oración y nuestras acciones. Crecemos en la santidad cuando seguimos esas indicaciones. Pero, no siempre es fácil. Algunas veces no queremos que "nuestra luz brille", particularmente si creemos que la gente puede pensar que somos diferentes, o si pensamos que nuestros amigos y compañeros de clases pueden burlarse de nosotros o dejar de ser nuestros amigos.

Sin embargo, Jesús sí nos pide que actuemos de cierta manera que puede ser difícil algunas veces. Nos pide que perdonemos no sólo una vez, sino que sigamos perdonando. Nos pide que compartamos con los necesitados y amemos aun a nuestros enemigos. Esto puede ser difícil. Cuando nos encontramos con algo difícil, nos vemos cara a cara con la cruz en nuestra vida. Ser cristiano incluye tomar la cruz y vivir en el misterio pascual de morir al pecado, y a todo lo que nos aparte de amar a Dios y a los demás, y a comenzar una nueva vida. La muerte y la resurrección son parte de la vida de todo cristiano.

La gracia

No tenemos que enfrentarnos a las pruebas solos. A través del Bautismo participamos en el don de la vida y el amor con Dios Padre, Dios Hijo y Dios Espíritu Santo. Llamamos a esta participación en la vida de Dios, la gracia santificante. Una de las cosas maravillosas y misteriosas de la amistad con nuestro Dios es que Él es quien la inicia. Extiende su mano hacia nosotros. Nos da ayuda gratuita e inmerecida para que seamos sus hijos, para que participemos en su vida aquí en la tierra y para que tengamos vida eterna con Él en el cielo. Cuando respondemos a su don de gracia y vivimos en una relación íntima con Dios Padre, Dios Hijo y Dios Espíritu Santo podemos hacer las cosas difíciles y dar testimonio de la santidad de Dios.

Living Witnesses

FAITH FOCUS

How do we grow in holiness?

TALK ABOUT IT

With a partner or in a small group, brainstorm ways that following the call to holiness might be difficult for young people.

THINK ABOUT IT

There are people in your life you really like: people who know you and accept you, people who are good influences on you, people you know and enjoy spending time with. What kinds of activities helped you get to know each other? How do those friendships determine how you act? What can you do to strengthen your good friendships?

All Christians by the example of their lives and the witness of the word, wherever they live, have an obligation to manifest the new person which they have put on in baptism, and to reveal the power of the holy Spirit by whom they were strengthened at confirmation . . .

Decree on the Church's Missionary Activity, 11

The anointing at Confirmation sanctifies us and sets us apart to be living examples of what it means to be holy. The Holy Spirit prompts or encourages us to deepen our relationship with him and the Church through prayer and actions. We grow in holiness when we follow these promptings. But it is not always easy. Sometimes we do not want to "let our light shine," especially if we believe people might think we are different or our friends and classmates might make fun of us or stop being our friends.

But Jesus does ask us to act in ways that might be difficult at times. He asks us to forgive not just once but over and over. He asks us to give to those who are in need and to love even our enemies. This can be hard. When we are faced with something difficult, we come face to face with the cross in our own lives. Being a Christian includes taking up the cross and living in the Paschal Mystery of dying to sin—to whatever keeps us from loving God and others—and rising to new life. Death and resurrection are part of every Christian's life.

Grace

We do not face our trials alone. Through Baptism we participate in the gift of life and love with God the Father, God the Son, and God the Holy Spirit. We call this participation in God's life sanctifying grace. One of the wonderful and mysterious things about God's friendship is that he initiates it. He reaches out to us. He gives us free and undeserved help to be his children, to share in his life here on earth, and to have eternal life with him in heaven. It is when we respond to his gift of grace and live in a close relationship with God the Father, God the Son, and God the Holy Spirit that we are able to do the hard things and become witnesses of God's holiness.

La Iglesia

La Iglesia nos ayuda y apoya mientras aprendemos a ser discípulos y a crecer en santidad. Por medio de las enseñanzas y la autoridad del Papa y los obispos, aprendemos lo que hemos de creer y de vivir como seguidores. Según participamos en la vida de la Iglesia, conocemos a otros que dan testimonio de la santidad cristiana y nos inspiran. La Iglesia celebra los dones de Dios por medio de los siete sacramentos. Por medio de éstos, particularmente la Eucaristía, recibimos la gracia del Espíritu Santo que nos une más a Jesús, el Hijo de Dios y nuestro Salvador.

La Confirmación

La Confirmación fortalece el don de la gracia santificante que recibimos en el Bautismo. Nos une más con la Iglesia. Nos otorga una fortaleza especial del Espíritu Santo para compartir nuestra fe como testigos de Cristo y para que nunca sintamos vergüenza de la cruz o de nuestra fe. Durante la Confirmación, se rezan oraciones para que Dios infunda su Espíritu Santo y podamos ser más como Cristo por la forma en que vivimos.

El Bautismo de Cristo, por Joachim Patinir (c. 1515)

Obispo:

> *Queridos hermanos,*
> *oremos a Dios Padre todopoderoso,*
> *unidos en la misma fe, en la misma esperanza,*
> *en la misma caridad, que proceden del Espíritu Santo.*

Diácono o ministro:

> *Por estos hijos de Dios,*
> *que han sido confirmados*
> *por el Espíritu Santo,*
> *para que, arraigados en la fe*
> *y fundamentados en la caridad,*
> *den verdadero testimonio de Cristo,*
> *roguemos al Señor.*

Ritual para la confirmación, 30

SÍMBOLO DEL ESPÍRITU SANTO

Paloma La paloma es uno de los símbolos más populares del Espíritu Santo. Proviene de la Sagrada Escritura, que describe el Bautismo de Jesús cuando el Espíritu Santo desciende sobre Jesús en forma de paloma y la voz del Padre proclama que Jesús es su Hijo amado (*Mateo 3, 13-17; Marcos 1, 9-11; Lucas 3, 21-22; Juan 1, 29-34*). Las palomas son aves tiernas y su uso como símbolo señala a las obras tiernas, pero poderosas, del Espíritu Santo.

Den ejemplos de momentos en que han estado conscientes de la tierna presencia del Espíritu Santo.

_____
_____
_____
_____
_____
_____
_____

The Church

The Church helps us and supports us as we learn to be disciples and grow in holiness. Through the teachings and authority of the pope and bishops, we learn what we are to believe and how we are to live as followers. As we participate in the life of the Church, we get to know other Catholics who witness and inspire us to Christian holiness. The Church celebrates the gifts of God through the seven sacraments. Through the sacraments, especially the Eucharist, we receive the grace of the Holy Spirit who unites us more closely to Jesus, God's Son and our Savior.

Confirmation

The Baptism of Christ, by Joachim Patinir (c. 1515)

Confirmation strengthens the gift of sanctifying grace we received in Baptism. It unites us more to the Church. It gives us a special strength of the Holy Spirit to share our faith as witnesses of Christ and to never be ashamed of the cross or our faith. During Confirmation, prayers are said that God will pour out his Holy Spirit so that we may be more like Christ by the way we live.

Bishop:

> *My dear friends:*
> *let us be one in prayer to God our Father*
> *as we are one in faith, hope, and love his Spirit*
> *gives.*

Deacon or Minister:

> *For these sons and daughters of God,*
> *confirmed by the gift of the Spirit,*
> *that they give witness to Christ*
> *by lives built of faith and love:*
> *let us pray to the Lord.*

Rite of Confirmation, 30

SYMBOL OF THE HOLY SPIRIT

Dove The dove is one of the most popular symbols of the Holy Spirit. It comes from the Scriptures, which describe the baptism of Jesus when the Holy Spirit descends upon Jesus in the form of a dove and the voice of the Father proclaims that Jesus is his beloved Son. (See *Matthew 3:13–17, Mark 1:9–11, Luke 3:21–22, John 1:29–34.*) Doves are gentle birds and the use of them as a symbol points to the gentle, yet powerful, workings of the Holy Spirit.

? What are some examples of times you have been aware of the gentle presence of the Holy Spirit?

_____

_____

_____

_____

_____

_____

_____

Testimonio de fe

Datos biográficos

Beato Miguel Pro

1891   Miguel nace en Guadalupe, Zacatecas, México.

1910   Está ocurriendo la revolución mejicana.

1911   Miguel ingresa en la orden de los jesuitas.

1914   Se ve obligado a dejar México e ir a Texas y luego a California.

1921   Miguel enseña en Nicaragua.

1925   Se ordena en Bélgica.

1926   Regresa a Ciudad México.

1927   Lo acusan falsamente y lo ejecutan por participar en un atentado con una bomba.

1988   Es beatificado por el Papa Juan Pablo II.

"¡Viva Cristo Rey!"

Éstas fueron sus últimas palabras antes de su ejecución.

Practiquemos nuestra fe

Mi nombre de bautismo es Miguel. Siempre creí que mi santo patrón era el Arcángel Miguel ya que era el único San Miguel que conocía. Entonces supe de Miguel Pro. Decidí cambiar mi santo patrón cuando escuché que era un hombre muy gracioso. Les jugaba bromas a sus hermanas y a otras personas, así que sentí que me podía identificar con él.

Miguel se convirtió en un sacerdote jesuita y trabajó en la ciudad de México durante una época en que todo culto público estaba prohibido y la gente de la Iglesia era perseguida. Pero eso no lo detuvo. Se disfrazó y llevó a cabo un ministerio clandestino, y predicó la Buena Nueva en palabra y acción. Una vez Miguel se hizo pasar por un policía y fue a las prisiones para confesar y dar la comunión a los prisioneros católicos que iban a ser ejecutados. En otra ocasión, se vistió de mecánico para dar una charla a un grupo de choferes. En un momento en que se escapó de milagro, Miguel se tomó de brazos con una muchacha que pasaba por su lado. Le dijo que era un sacerdote y necesitaba ayuda. Caminaron tomados de la mano mientras los policías les pasaban por el lado creyendo que eran una pareja de enamorados. Miguel también asumió muchos riesgos al recolectar y distribuir comida y otros artículos para ayudar a los pobres de la ciudad.

En 1927, tiraron una bomba desde un auto al recién electo presidente. Miguel, que estaba siendo vigilado por la policía, fue acusado falsamente y ejecutado por el crimen. Al momento de su ejecución, gritó "¡Viva Cristo Rey!" y perdonó a quienes lo mataron. Antes de su muerte, prometió en broma que a los santos de cara larga que se encontraran en el cielo los animaría bailando el baile mejicano del sombrero. Ese es mi tipo de santo.

Miguel C.

Witness of Faith

Bio Stats

Blessed Miguel Pro

1891   Miguel is born in Guadalupe, Zacatecas, Mexico.

1910   The Mexican Revolution is going on.

1911   Miguel enters the Jesuits.

1914   He is forced to leave Mexico for Texas and later California.

1921   Miguel teaches in Nicaragua.

1925   He is ordained in Belgium.

1926   He returns to Mexico City.

1927   Miguel is falsely accused and executed for participating in a bombing attempt.

1988   He is beatified by Pope John Paul II.

"Long live Christ the King!"
These were his last words at his execution.

Living It Out Today

My baptismal name is Miguel. I always thought that the archangel Michael was my patron saint since he was the only Saint Michael I had ever heard of. Then I found out about Miguel Pro. I decided to switch patron saints when I heard what a funny guy he was. He played practical jokes on his sisters and other people, so I felt like I could relate to him.

Miguel became a Jesuit priest and worked in Mexico City during a time when all public worship was forbidden and people of the Church were being persecuted. But that did not stop him. He just disguised himself and conducted an underground ministry, preaching the Good News in word and action. Miguel once posed as a policeman and went into the prisons to hear confessions and give Communion to Catholic prisoners who were going to be killed. Another time, he dressed as a mechanic to give a talk to a group of chauffeurs. During one narrow escape, Miguel linked arms with a girl who was passing by. He told her he was a priest and needed help. They walked hand in hand while the police passed by thinking they were a couple in love. Miguel also took many risks collecting and distributing food and other supplies in order to help the poor of the city.

In 1927, a bomb was thrown from a car at the newly elected president. Miguel, who was being watched by the police, was falsely accused and executed for the crime. At the time of his execution, he shouted "Viva Cristo Rey!" and forgave his killers. Before his death, he jokingly promised to cheer up any long-faced saints he found in heaven by performing a Mexican hat dance! That's my kind of saint.

Miguel C.

Los derechos y las responsabilidades de la persona humana

La santidad de Dios es el amor. Como Hijo de Dios, Jesús nos muestra lo que significa la santidad / amor. Su amor se dirigió particularmente a sus hermanos y hermanas "menos importantes". Su ejemplo nos desafía a aceptar nuestra responsabilidad de ser defensores de los derechos de los demás, particularmente de aquellos a quienes se les niegan esos derechos por su raza, sexo, edad, nacionalidad o antecedentes religiosos. Debemos "tener hambre y sed de justicia", como Miguel Pro, que asumió muchos riesgos para recolectar y distribuir comida y otros artículos para los pobres. La comida es un derecho humano fundamental. La organización "Pan para el Mundo" ayuda a los cristianos de Estados Unidos a defender la legislación que promueve este derecho. Inviten a su familia, clase o parroquia a formar parte de esta organización. Escriban cartas juntos.

 Visiten la página **www.harcourtreligion.com** para descubrir más acerca de la doctrina social de la Iglesia Católica.

✦ Respondamos
en fe

Mis reflexiones

Las personas que siguen el camino de la santidad usualmente llevan una vida de oración y se involucran en las actividades de la Iglesia, felices y preocupadas por los demás. Piensen en las siguientes declaraciones y evalúen su propio "espíritu" de santidad.

▶ Oro todos los días.

▶ Oro para recibir el consejo de Dios cuando tomo decisiones.

▶ Hago cosas que ayudan a crear un sentido de orden y armonía en mi familia.

▶ Me preocupo por mis amigos y me relaciono con ellos respetuosamente.

▶ Me preocupo por los pobres y los enfermos, y les ayudo en todo lo que puedo.

▶ Me siento parte de la naturaleza y la protejo.

Poemas o carteles

Con un compañero o en un grupo pequeño, escojan una de las siguientes frases y creen un poema o un cartel. Para hacer el cartel, usen historias y titulares de periódicos recientes.

• El Espíritu del Señor está sobre mí.

• Ustedes son la luz del mundo.

• Ustedes son la sal de la tierra.

• Ustedes dan testimonio de mí en todo el mundo.

ORACIÓN FINAL

Líder:	Señor Dios, ayúdanos a dar testimonio de ti por toda la tierra.
Todos:	Ven, Espíritu Santo.
Líder:	Dependemos de tu valor y fortaleza.
Todos	Ven, Espíritu Santo.
Líder:	Haznos vivir siempre a semejanza de Jesús.
Todos:	Ven, Espíritu Santo.

Rights and Responsibilities of the Human Person

God's holiness is love. As the Son of God, Jesus shows us what holiness/love means. His love went out especially to those "least" of his brothers and sisters. His example challenges us to accept our responsibility to be advocates for the rights of others, especially those denied these rights because of their race, gender, age, nationality, or religious background. We are to "hunger and thirst for justice," like Miguel Pro did, taking many risks collecting and distributing food and other supplies to the poor. Food is a basic human right. Bread for the World helps U.S. Christians advocate for legislation to promote this right. Invite your family, class, or parish to become a member. Write letters together.

 Visit **www.harcourtreligion.com** to discover more about Catholic social teachings.

✴ Respond
in Faith

My Thoughts

People who follow a path to holiness are usually prayerful, active, happy, and concerned for others. Think about the following statements and assess your holy "spirit."

▶ I pray every day.
▶ I pray for God's guidance when I make decisions.
▶ I do things that help build a sense of order and harmony in my family.
▶ I care about my friends and relate to them with respect.
▶ I am concerned about the poor and the sick, and I reach out to them when it is appropriate.
▶ I feel connected to nature, and I protect it.

Poems or Posters

With a partner or in a small group, choose one of the following phrases and create a poem or a poster. For the poster, use stories and headlines from recent newspapers.

• The Spirit of the Lord is upon me.

• You are the light of the world.

• You are the salt of the earth.

• You are my witnesses throughout the world.

 CLOSING PRAYER

Leader:	Lord God, we long to be your witnesses throughout the earth.
All:	Come, Holy Spirit.
Leader:	We depend on your courage and strength.
All	Come, Holy Spirit.
Leader:	Make us to live always in the likeness of Jesus.
All:	Come, Holy Spirit.

Respondan
en fe

ÉNFASIS DE NUESTRO MISTERIO DE FE

Conversen acerca de las siguientes verdades de la fe. Concéntrense en cómo estas verdades de la fe tienen o podrían tener hoy un efecto en sus vidas. Consulten la lección si es necesario.

- Todos los que se bautizan son llamados a la santidad porque en el Bautismo hemos asumido a Cristo.

- Jesús es el mejor modelo que tenemos de la santidad de Dios.

- Ser cristiano implica cargar la cruz y vivir el misterio pascual de morir al pecado y resucitar a una nueva vida.

ÉNFASIS DEL RITO

Durante la celebración, los candidatos escucharon la letanía de los santos y fueron incensados. Dialoguen acerca de la experiencia de ser incensados. Compartan entre ustedes historias de sus santos preferidos y dialoguen sobre cómo pueden ser modelos para sus vidas.

Actúen juntos

Lean juntos Lucas 4, 14-21. Decidan qué actividad pueden realizar juntos en la cual actúen a favor de personas pobres o enfermas.

Sugerencias:

- Comuníquense con un asilo de ancianos y planifiquen una visita con alguien que no tiene a nadie que lo visite.

- Acompañen a un ministro extraordinario de la sagrada eucaristía en una visita de comunión.

- Comuníquense con el comité de acción social de su parroquia y ofrézcanse como voluntarios con ayudar en uno de sus proyectos con las personas necesitadas.

SER CATÓLICO

Para el padrino o miembro de la familia: Exploren las siguientes citas de católicos famosos y dialoguen acerca de cómo se relacionan con la santidad a la que somos llamados:

66 **Nada es más práctico que encontrar a Dios; o sea, amarlo de forma total y absoluta, final. Lo que amamos, lo que captura nuestra imaginación, afectará a todo** 99.

— Pedro Arrupe, S.J.

compARtAN juNtos

Para el padrino o miembro de la familia: El candidato completó la evaluación de esta sesión. Conversen sobre ella. Luego, lean la lista de los frutos del Espíritu Santo a continuación. Encierren en un círculo aquellas que ven claramente en el candidato. Conversen sobre ellas y digan de qué forma la manifestación de estos frutos indican un crecimiento en la santidad.

caridad	generosidad
alegría	ternura
paz	lealtad
paciencia	modestia
amabilidad	autocontrol
bondad	castidad

Para el padrino o miembro de la familia: Reflexionen sobre sus propios sentimientos y pensamientos acerca de ser llamados a la santidad, tomando en consideración los retos que surgen en su vida y en su trabajo. Recuerden una experiencia en la que se hayan enfrentado a uno de esos retos. Compártanlas con el candidato.

❝ **La oración no es tanto una forma de encontrar a Dios, sino de descansar en Él . . . que nos ama, que está cerca de nosotros. . . .** ❞
— Thomas Merton

❝ **No debemos buscar al niño Jesús en las figuras bonitas de nuestros nacimientos navideños. Lo debemos buscar entre los niños malnutridos que se han ido a la cama por la noche sin haber comido nada . . .** ❞
— Oscar Romero

Respond
in Faith Together

FAITH FOCUS

Discuss the following beliefs together. Focus on how these beliefs have or could have an effect on your lives today. Refer to the lesson if necessary.

- Everyone who is baptized is called to holiness because in Baptism we put on Christ.

- Jesus is the best model we have of the holiness of God.

- Being a Christian involves taking up the cross and living in the Paschal Mystery of dying to sin and rising to new life.

RITUAL FOCUS

During the celebration, the candidates experienced a Litany of the Saints and the rite of being incensed. Discuss the experience of being incensed. Share stories of your favorite saints with each other, and discuss how they are models for your own lives.

ACT TOGETHER

Read together Luke 4:14–21. Decide on an activity you can do together where you are acting on behalf of people who are poor or ill.

Suggestions:

- Contact an assisted-living facility and set up a visit with someone who does not have regular visitors.

- Accompany an extraordinary minister of Holy Communion on a Communion call.

- Contact your parish outreach committee and volunteer to assist in one of their projects for those in need.

BEING CATHOLIC

To the Sponsor or Family Member: Explore these quotes by famous Catholics and discuss how they relate to the holiness we are called to:

66 Nothing is more practical than finding God, that is, than falling in love in a quiet absolute, final way. What you are in love with, what seizes your imagination, will affect everything. 99

— Pedro Arrupe, S.J.

SHARe TOGeTHeR

To the Sponsor or Family Member: The candidate completed an assessment paper in his or her session. Discuss it together. Then look over the list of the Fruits of the Holy Spirit below. Circle those that you see evident in the candidate. Discuss them together and affirm how evidence of these fruits indicates a growth in holiness.

Charity	Generosity
Joy	Gentleness
Peace	Faithfulness
Patience	Modesty
Kindness	Self-control
Goodness	Chastity

To the Sponsor or Family Member: Reflect on your own feelings and thoughts about being called to holiness, considering the challenges that are raised for you in your personal and work life. Recall an experience when you have met one of those challenges. Share it with the candidate.

❝ **Prayer is not so much a way to find God as a way of resting in him . . . who loves us, who is near to us. . .** ❞
— Thomas Merton

❝ **We must not seek the child Jesus in the pretty figures of our Christmas cribs. We must seek him among the undernourished children who have gone to bed at night with nothing to eat. . .** ❞
— Oscar Romero

sesión 7

Guiados por el Espíritu

Rito de apertura
Procesión con la Sagrada Escritura

 Cantemos.

Líder: Oremos.

Todos: *Hagamos la señal de la cruz.*

Celebración de la Palabra

Líder: Dios amoroso, a menudo descuidamos los dones de nuestro Bautismo y nos apartamos de ti para pecar. Oramos a tu Espíritu Santo para que abra nuestros corazones y nos cambie, y así tu gracia pueda renovarse en nosotros.

Todos: Amén.

Líder: Lectura del santo Evangelio según San Lucas.

Todos: Te alabamos, Señor.

Líder: *Leamos Lucas 22, 31-34, 54-62.* Palabra del Señor.

Todos: Te alabamos, Señor.

Reflexionemos en silencio.

¿Cómo se sentirían si fueran Pedro?

ÉNFASIS DEL RITO

El examen de conciencia

Líder: Señor Jesús, nos redimiste con tu pasión y nos elevaste a la vida nueva en el Bautismo. Envía al Espíritu Santo para que nos ayude a reflexionar acerca de las desiciones que hemos tomado, nuestras acciones y nuestros pensamientos como preparación para recibir el Sacramento de la Penitencia y Reconciliación.

Usen estos momentos de silencio para hacer un examen de conciencia.

Guided by the Spirit

Gathering Rite
Procession with the Word

🎵 *Sing together.*

Turn to me, O turn and be saved,
says the Lord, for I am God;
there is no other, none beside me.
I call your name.

"Turn to Me," © 1999, John B. Foley, SJ and GIA Publications.
Published by OCP Publications

Leader: Let us pray.

All: *Pray the Sign of the Cross together.*

Celebration of the Word

Leader: Loving God, we often neglect the gifts of our Baptism and turn from you to sin. We pray to your Holy Spirit to open our hearts and change us that your grace may be renewed in us.

All: Amen.

Leader: A reading from the holy Gospel according to Luke.

All: Glory to you, Lord

Leader: *Read Luke 22:31–34, 54–62.* The Gospel of the Lord.

All: Praise to you, Lord Jesus Christ.

Reflect silently.
❓ How would you feel if you were Peter?

RITUAL FOCUS

Examination of Conscience

Leader: Lord Jesus, you redeemed us by your passion and raised us to new life in Baptism. Send the Holy Spirit to help us reflect on our choices, our actions, and our thoughts as preparation to receive the Sacrament of Penance and Reconciliation.

Use this quiet time to examine your conscience.

¿Está mi corazón afianzado en Dios sobre todas las cosas?

¿Soy fiel a los mandamientos?

¿He tenido cuidado de crecer en la comprensión de mi fe?

¿Cumplo el precepto de la Iglesia de oír misa los domingos y fiestas de guardar?

¿Tengo verdadero amor por mi prójimo o utilizo a las personas para lograr mis propios objetivos?

¿Contribuyo al bienestar y felicidad de mi familia?

¿Comparto mis posesiones con los menos afortunados? ¿Soy honrado y trabajador?

¿He sido sincero y justo con las otras personas o les he hecho daño?

Líder: Dios nos da un ejemplo de amor: aun cuando pecamos, Él continúa amándonos. Oremos.

Todos: *Respondamos después de cada petición con la oración "Señor, ten misericordia".*

Líder: Señor, como Pedro hemos confiado en nuestra fuerza en lugar de tu gracia.

Señor, algunas veces nuestro orgullo e insensatez nos ha llevado a la tentación.

Señor, hemos sido vanidosos y presuntuosos.

Señor, nos hemos alegrado en vez de sentirnos tristes con las desgracias de los demás.

Señor, no nos hemos preocupado por los necesitados.

Señor, hemos temido defender la justicia y la verdad.

Oremos como Jesús nos enseñó.

Oremos el Padrenuestro.

¡Evangelicemos!

Líder: Señor nuestro Dios, danos fortaleza para apartarnos de nuestros pecados y servirte en el futuro con más amor y devoción. Considéranos con amor y oye nuestra oración, tú que vives y reinas por los siglos de los siglos.

Todos: Amén.

Adaptado del Ritual de la penitencia, Apéndice II y III.

 Repitamos el canto de entrada.

Is my heart set on God above everything else?

Am I faithful to the commandments?

Have I been careful to grow in the understanding of my faith?

Do I keep Sundays and feast days holy by participating at Mass?

Do I have a real love for my neighbor, or do I use people for my own ends?

Do I contribute to the well-being and happiness of my family?

Do I share my possessions with the less fortunate? Am I honest and hard-working?

Have I been truthful and fair or have I injured others?

Leader: God gives us an example of love; even when we sin, he loves us. Let us pray.

All: *Respond after each petition with the prayer, Lord have mercy.*

Leader: Lord, like Peter we have relied on our strength rather than on grace.

Lord, at times our pride and foolishness have led us into temptation.

Lord, we have been vain and self-important.

Lord, we have been pleased rather than saddened by the misfortunes of others.

Lord, we have shown indifference for those in need.

Lord, we have been afraid to stand up for justice and truth.
Let us pray as Jesus has taught us.

Pray the Lord's Prayer together.

We Go Forth

Leader: Lord our God, give us strength to turn from our sins and to serve you in the future with greater love and devotion. Look on us with love and hear our prayer, for you live and reign forever.

All: Amen.

Adapted from Rite of Penance, Appendix II and III

 Sing again the opening song.

El examen de conciencia

⭐ Reflexionemos
acerca de la celebración

Mis reflexiones

La celebración de la Palabra me ayudó a pensar en

_____

_____

_____

_____

Cuando examiné mi conciencia, lo que aprendí sobre mí mismo fue

_____

_____

_____

_____

Compartamos nuestra fe

▶ Con un compañero o en un grupo pequeño, compartamos cómo nos preparamos para celebrar el sacramento de la Reconciliación.

❓ ¿Por qué es importante pensar acerca de la forma en que actuamos?

▶ Con un compañero o en un grupo pequeño, pensemos en otras frases que podríamos agregarle a la lista del examen de conciencia que se encuentra en las páginas 146 y 148.

SÍMBOLO DEL ESPÍRITU SANTO

Las manos Cuando Jesús curaba a los enfermos y bendecía a la gente, ponía sus manos sobre ellos (*Marcos 6, 5, 8, 23, 10, 16*). Más tarde los apóstoles también impusieron sus manos sobre aquellos para los que imploraban la venida del Espíritu Santo. La Epístola de los Hebreos enumera la imposición de las manos como uno de los "elementos fundamentales" de sus enseñanzas (*Hebreos 6, 2*). Hoy, cuando celebramos los sacramentos, el sacerdote o el señor obispo extienden sus manos como señal de la venida y acción del Espíritu Santo sobre los que reciben el sacramento.

❓ ¿En qué ocasiones has visto o tenido la experiencia de la imposición de las manos durante la celebración de los sacramentos?

_____

_____

_____

_____

_____

_____

_____

_____

Celebrate

Examination of Conscience

⭐ Reflect
on the Celebration

My Thoughts

The celebration helped me think about

_____

_____

_____

_____

When I examined my conscience, this is what I learned about myself

_____

_____

_____

_____

_____

Faith Sharing

▶ With a partner or in a small group, share how you prepare to celebrate the Sacrament of Reconciliation.

? Why is it important to think about how we act?

▶ In a small group, brainstorm additional phrases that could be added to the list in the examination of conscience on pages 74–75.

SYMBOL OF THE HOLY SPIRIT

Hand When Jesus healed the sick and blessed people, he laid hands on them. (See *Mark 6:5, 8:23, 10:16*.) Later, the Apostles imposed hands on those who were receiving the Holy Spirit. The Letter to the Hebrews lists the imposition of hands among the "fundamental elements" of its teaching. (See *Hebrews 6:2*.) Today, when we celebrate the sacraments, the priest or bishop always extends his hands as a sign of the outpouring of the Holy Spirit.

? When are some times you have seen or experienced the laying on of hands in the sacraments?

_____

_____

_____

_____

_____

_____

_____

_____

El pecado

Se sorprenderán de que estemos hablando del pecado cuando se están preparando para celebrar el Sacramento de la Confirmación. Hemos repasado el significado del Bautismo y reflexionado acerca de lo que significa ser discípulo e hijo de Dios. Hemos hablado de ser sellados con el Espíritu Santo, recibir los dones del Espíritu Santo y ser santos. Aún cuando tenemos todos estos dones, nos apartamos de Dios. *Pecamos*. No cumplimos los Diez Mandamientos y encontramos difícil seguir siempre los grandes mandamientos de Jesús de amar a Dios y a nuestro prójimo. El *pecado mortal* es grave (muy serio) por el cual una persona se aparta completamente de Dios y rompe su relación con Él. El *pecado venial* debilita o lastima la relación de la persona con Dios.

Mientras se preparan para la Confirmación, hay dos razones para pensar en el pecado. Una, para ser conscientes de que el Espíritu Santo está con ustedes para ayudarlos a apartarse del pecado y de las conductas y actitudes pecaminosas. La otra, para que examinen sus vidas y se preparen para celebrar el Sacramento de la Reconciliación antes de ser confirmados.

La conciencia

Una obra importante del Espíritu Santo es conducirnos a la conversión. Por medio del poder del Espíritu Santo, a las personas y a los grupos (grandes y pequeños) se les da la oportunidad y la gracia de apartarse del pecado y acercarse a Dios. Pero, la conversión y la gracia necesitan que cooperemos con el Espíritu Santo. Una de las formas de hacerlo es mediante el examen de *conciencia*. La conciencia es nuestra capacidad interior de reconocer lo bueno y lo malo. Es la voz interior que nos insta a hacer el bien y evitar el mal. El examen de conciencia es siempre una parte de la preparación para el Sacramento de la Reconciliación. Muchas personas examinan sus conciencias a diario o semanalmente porque desean fortalecer su relación con Dios el Padre, el Hijo y el Espíritu Santo.

REFLEXIONEMOS SOBRE ESTOS PUNTOS

¿Si tu conciencia fuera algo que pudieran ver, cómo se vería?

COMPARTAMOS ESTOS PUNTOS

Con un compañero o en un grupo pequeño, elaboren una lista de "tres consejos prácticos para examinar la conciencia".

Sin

It may surprise you that we are talking about sin as you prepare to celebrate the Sacrament of Confirmation. We have reviewed the meaning of Baptism and reflected on what it means to be a disciple and a child of God. We have talked about being sealed with the Holy Spirit, receiving the Gifts of the Holy Spirit, and being holy. Even though we have all these gifts, we still turn away from God. We *sin*. We fail to follow the Ten Commandments, and we find it difficult to always follow Jesus' Great Commandment to love God and our neighbor. *Mortal sin* is grave (very serious) by which someone turns completely away from God, breaking his or her relationship with God. *Venial sin* weakens or wounds a person's relationship with God.

As you prepare for Confirmation, there are two reasons to think about sin. One is to be more aware that the Holy Spirit is with you to help you turn away from sin and sinful behavior and attitudes. The other is to spend time taking a look at your life to prepare to celebrate the Sacrament of Reconciliation before you are confirmed.

THINK ABOUT IT

If your conscience was something you could see, what would it look like?

TALK ABOUT IT

With a partner or in a small group, create a list of "three tips for examining your conscience."

Conscience

An important work of the Holy Spirit is leading us to conversion. Through the power of the Holy Spirit, individual people and groups (large and small) are given the opportunity and grace to move away from sin and toward God. But conversion and grace require us to cooperate with the Holy Spirit. One of the ways we do this is through an examination of conscience. *Conscience* is our inner capacity to recognize what is right and wrong. It is the internal voice that urges us to do good and avoid evil. An examination of conscience is always a part of the preparation for the Sacrament of Reconciliation. Many people examine their consciences on a daily or weekly basis because they want to strengthen their relationship with God the Father, the Son, and the Holy Spirit.

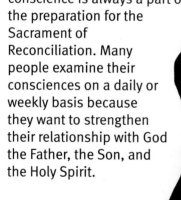

El perdón

REFLEXIONEMOS
SOBRE ESTOS PUNTOS

¿Qué es más difícil, perdonar o ser perdonados?

ÉNFASIS DE NUESTRO MISTERIO DE FE

¿Qué nos enseña la Sagrada Escritura sobre el pecado y el perdón?

La Buena Nueva del Evangelio es que Dios nos ama y quiere curarnos y perdonarnos. Jesús pasó su vida pública acogiendo a los pecadores y compartiendo la comida y la bebida con ellos. Su presencia con Zaqueo y la mujer samaritana les llevó a que ambos se arrepintieran y cambiaran sus estilos de vida. Cuando Jesús curaba, muchas veces le decía a la gente que sus pecados estaban perdonados. Esto provocó que algunos de los fariseos se enojaran, pues se preguntaban de dónde le venía la autoridad para perdonar los pecados, si sólo Dios podía hacerlo.

En las parábolas, Jesús describió a un Dios que perdona. Usó la imagen del pastor que fue a buscar a la oveja perdida, a la mujer que buscó la moneda perdida y al padre que esperó al hijo que había perdido y lo acogió en la familia de nuevo, aun cuando había malgastado su herencia. Luego de haber enseñado el Padrenuestro, Jesús hizo hincapié en que sus seguidores son llamados a ser personas que perdonan.

Llamados a perdonar

LA SAGRADA ESCRITURA

Porque si ustedes perdonan a los hombres sus ofensas, también el Padre celestial les perdonará a ustedes. Pero si ustedes no perdonan a los demás, tampoco el Padre les perdonará a ustedes...Entonces Pedro se acercó con esta pregunta: "Señor, ¿cuántas veces tengo que perdonar las ofensas de mi hermano? ¿Hasta siete veces?". Jesús le contestó: "No te digo siete, sino setenta y siete veces".

Mateo 6, 14-15, 18, 21-22

La respuesta de Jesús a la pregunta de Pedro acerca de cuántas veces somos llamados a perdonar constituye un reto. Somos llamados a perdonar una y otra vez.

Jesús con los discípulos en el templo, siglo XV, artista desconocido

Remember

Forgiveness

✝ SCRIPTURE

GO TO THE SOURCE
Luke 19:2–10, John 4:1–42,
Luke 7:49, Luke 15:1–32

THINK ABOUT IT

Is it more difficult to forgive or to be forgiven?

FAITH FOCUS

What does Scripture teach us about sin and forgiveness?

The Good News of the Gospel is that God loves us and wants to heal and forgive us. Jesus spent his public life welcoming and eating and drinking with sinners. His presence with Zaccheus and the Samaritan woman caused each of them to repent and change. When he healed people, Jesus often told them their sins were forgiven. This angered some of the Pharisees. They wondered where he got his authority to forgive sins, since only God could do that.

In the parables, Jesus described a forgiving God. He used the image of the shepherd who went out to find the lost sheep, the woman who searched for her lost coin, and the father who waited for his lost son and welcomed him back into the family even after he has wasted his inheritance. After Jesus taught the Lord's Prayer, he emphasized that his followers are called to be forgiving people.

Called to Forgive

✝ SCRIPTURE

For if you forgive others their trespasses, your heavenly Father will also forgive you; but if you do not forgive others, neither will your Father forgive your trespasses . . . Then Peter came and said to him, "Lord, if another member of the church sins against me, how often should I forgive? As many as seven times?" Jesus said to him, "Not seven times, but I tell you, seventy-seven times."

Matthew 6:14–15, 18:21–22

Jesus' response to Peter's question about how many times we are called to forgive is very challenging. We are called to forgive over and over again.

Jesus with Disciples in the Temple,
15th Century, Artist Unknown

Durante la Pasión y muerte de Jesús, sus discípulos, excepto Juan, lo abandonaron. Se escondieron por temor a que también fueran perseguidos o les sucediera algo peor. Después de la Resurrección, Jesús se les apareció, y no sólo les ofreció paz y perdón, sino que también les dio el poder del Espíritu Santo para perdonar los pecados.

REFLEXIONEMOS
SOBRE ESTOS PUNTOS

¿Cómo se sentirían si estuvieran involucrados en un problema y sus amigos los abandonaran o negaran conocerlos? ¿Qué tendrían que hacer para perdonarlos?

Jesús se aparece a los discípulos

Ese mismo día, el primero después del sábado, los discípulos estaban reunidos por la tarde con las puertas cerradas por miedo a los judíos. Llegó Jesús, se puso de pie en medio de ellos y les dijo: "¡La paz esté con ustedes!". Dicho esto, les mostró las manos y el costado. Los discípulos se alegraron mucho al ver al *Señor*.

Jesús les volvió a decir: "¡La paz esté con ustedes! Como el Padre me envío a mí, así los envío yo también". Dicho esto, sopló sobre ellos y les dijo: "Reciban el Espíritu Santo: a quienes descarguen de sus pecados, serán liberados, y a quienes se los retengan, les serán retenidos".

Juan 20, 19-23

COMPARTAMOS
ESTOS PUNTOS

Con un compañero o en un grupo pequeño, elaboren una lista de las razones por las que algunas veces encuentran difícil perdonar a alguien que les ha hecho algún daño.

? **¿De qué forma es Jesús un modelo de perdón en este pasaje de la Sagrada Escritura?**

? **¿Qué les dice este pasaje de la Sagrada Escritura sobre el perdón?**

 # Compartamos
la Palabra

En grupos pequeños, seleccionen una de las siguientes historias de la Sagrada Escritura y conversen sobre cómo pudo haber terminado la historia si Jesús nunca hubiese estado en la situación.

- Zaqueo (Lucas 19, 2-9)
- Mujer samaritana (Juan 4, 1-42)
- Discípulos (Juan 20, 19-23)
- Pedro (Juan 21, 15-18)

_____

_____

_____

During the time of Jesus' passion and death, the disciples, except for John, abandoned him. They hid for fear that they too would be persecuted or worse. After the Resurrection, Jesus appeared to them. He not only offered them peace and forgiveness, but he also gave them the power of the Holy Spirit to forgive sins.

THINK ABOUT IT

How would you feel if you were in trouble and your friends either abandoned you or denied they knew you? What would it take for you to forgive them?

Jesus Appears to the Disciples

When it was evening on that day, the first day of the week, and the doors of the house where the disciples had met were locked for fear of the Jews, Jesus came and stood among them and said, "Peace be with you." After he said this, he showed them his hands and his side. Then the disciples rejoiced when they saw the Lord. Jesus said to them again, "Peace be with you. As the Father has sent me, so I send you." When he had said this, he breathed on them and said to them, "Receive the Holy Spirit. If you forgive the sins of any, they are forgiven them; if you retain the sin of any, they are retained."

John 20:19–23

TALK ABOUT IT

With a partner or in a small group, make a list of the reasons it is sometimes difficult to forgive someone who has wronged you.

? How is Jesus a model of forgiveness in this Scripture passage?

? What does this Scripture passage say to you about forgiveness?

Share
the Word

In small groups, select one of the following Scripture stories and discuss what might have been the outcome of the story if Jesus had never come upon the scene.

- Zacchaeus (Luke 19:2–9)
- Samaritan Woman (John 4:1–42)
- Disciples (John 20:19–23)
- Peter (John 21:15–18)

_____

_____

_____

El perdón y la reconciliación

¿Si fueran a recibir un premio por haber sido instrumentos de reconciliación, sobre qué situaciones de la vida de ustedes hablarían los demás durante la ceremonia?

Con un compañero o en un grupo pequeño, compartan una experiencia en la que hayan actuado como reconciliadores.

ÉNFASIS DE NUESTRO MISTERIO DE FE

¿Cuál es el papel del Espíritu Santo en el perdón y la reconciliación?

Con gran sinceridad, quisiera decirles que el perdón es la última palabra dicha por los que aman de verdad. El perdón es la señal máxima de la capacidad de amar como Dios ama, puesto que Él nos ama y constantemente nos perdona.

Juan Pablo II, en una reunión con la juventud romana, 25 de marzo de 1999

Jesús dio poder a sus discípulos para perdonar los pecados al soplar sobre ellos y enviarles el don del Espíritu Santo. El Espíritu Santo nos guía e ilumina. Es por medio del poder del Espíritu Santo que reconocemos el pecado: los hábitos, las actitudes y las acciones que nos alejan de vivir como Hijos de la Luz, según las exigencias del Bautismo. En el Sacramento de la Penitencia, cuando sinceramente nos arrepentimos de nuestros pecados y enmendamos nuestra vida, se nos perdonan nuestros pecados por medio de las oraciones y acciones del sacerdote y del poder del Espíritu Santo.

Perdonar a los demás

En el Sacramento de la Penitencia, pedimos *perdón* por nuestros pecados y Dios nos lo concede. Sin embargo, tenemos situaciones en la vida cuando somos nosotros los que tenemos que perdonar.

Quizás un amigo traicionó un secreto que le habíamos confiado, o uno de nuestros padres rompió una promesa o un hermano o hermana "tomó algo prestado" sin pedirlo. Quizás estamos enojados o dolidos y se nos hace difícil perdonar. ¿Por qué nos pasa esto? Porque el perdón significa que debemos ser muy generosos con nuestro amor; tenemos que perdonar como hemos sido perdonados. El don del Espíritu Santo en el Bautismo y la Confirmación nos da la fortaleza para perdonar. Es esa fortaleza la que ayudó al Papa Juan Pablo II a perdonar a la persona que trató de asesinarlo. Es esa fortaleza la que inspira a los ruandeses, a través del proceso de vistas de reconciliación, para perdonar y poder vivir con los vecinos que asesinaron a sus familias.

Forgiveness and Reconciliation

FAITH FOCUS

What is the role of the Holy Spirit in forgiveness and reconciliation?

THINK ABOUT IT

If you were going to receive an award for being a reconciler, what events of your life would people tell about during the ceremony?

TALK ABOUT IT

With a partner or in a small group, share one experience where you acted as a reconciler.

With great sincerity, I would like to tell you that forgiveness is the last word spoken by those who truly love. Forgiveness is the highest sign of the capacity to love as God does, for he loves us and therefore constantly forgives us.

John Paul II, in a meeting with Roman youth, March 25, 1999

Jesus empowered his disciples to forgive sins by breathing on them and sending the gift of the Holy Spirit. The Holy Spirit guides and enlightens us. It is through the power of the Holy Spirit that we recognize sin—the habits, attitudes, and actions that are leading us away from living as the children of light we are called to be through Baptism. In the Sacrament of Penance, when we are truly sorry for our sins and want to repair the damage they have caused, our sins are forgiven through the prayers and actions of the priest and the power of the Holy Spirit.

Forgiving Others

In the Sacrament of Penance, we ask *forgiveness* for our sins and God grants it. But there are situations in our lives when we are the ones who need to forgive. Maybe a friend betrayed a confidence, or a parent broke a promise, or a sibling "borrowed" something without asking. We might be angry or hurt and find it hard to forgive. Why is that? Because forgiveness means we have to be very generous with our love. We have to forgive as we have been forgiven. The gift of the Holy Spirit at Baptism and Confirmation gives us the strength to forgive. It is that strength that helped Pope John Paul II forgive his would-be assassin. It is that strength that is helping Rwandans, through processes of reconciliation hearings, to live with neighbors who killed their families.

La reconciliación

COMPARTAMOS ESTOS PUNTOS

¿Quiénes son algunas personas a las que pueden señalar y decir, "ésa es una persona que perdona"?

Reconciliación significa volver a estar juntos. Es el proceso de llegar a un acuerdo para terminar un conflicto o sanar una amistad que se ha roto, de tal manera que dos personas o dos grupos pueden decir: "perdonemos y volveremos a empezar". Otro nombre del Sacramento de la Penitencia es el Sacramento de la Reconciliación porque, por medio de éste, volvemos a ser uno con Dios, con nosotros mismos y con los demás. Confesamos nuestro pecado, nos arrepentimos, aceptamos cambiar y cumplir la penitencia, somos perdonados y somos enviados a compartir esta paz y reconciliación con otros.

Al final del Sacramento de la Confirmación, justo antes de la Liturgia Eucarística, el diácono o ministro ora para que nosotros, como Iglesia de Dios, seamos un signo y testimonio de reconciliación:

> *Por la santa Iglesia de Dios,*
> *congregada por el Espíritu Santo*
> *en la unidad de la fe y de la caridad, para que,*
> *en comunión con nuestro santo padre el Papa N.,*
> *con nuestro obispo N.,*
> *y con todos los obispos del mundo,*
> *crezca y se difunda entre todos los pueblos,*
> *roguemos al Señor.*

> *Por los hombres del mundo entero,*
> *que tienen un solo Creador y Padre,*
> *para que se reconozcan como hermanos*
> *y, sin discriminación de raza o de nación,*
> *busquen, con sincero corazón,*
> *el reino de Dios,*
> *que es paz y gozo en el Espíritu Santo,*
> *roguemos al Señor.*

Ritual para la confirmación, 30

SIGNOS DE FE

Absolución En el Sacramento de la Reconciliación, por medio de la absolución del sacerdote, Dios perdona o elimina los pecados de la persona y el castigo eterno que le correspondía por sus pecados mortales. Jesús otorgó a los discípulos y a sus sucesores el poder de absolver los pecados (*Juan 20, 23*). Sólo un sacerdote u obispo ordenado de forma legítima (los únicos ministros de este sacramento) puede absolver a una persona que ha confesado sus pecados. La persona debe estar arrepentida y dispuesta a enmendar su vida para poder ser absuelto.

? **¿Por qué es importante para ustedes recibir la absolución?**

_____

_____

_____

_____

_____

_____

_____

Reconciliation

Reconciliation means to come back together again. It is a process of ending a conflict or healing a broken friendship in such a way that two people or two groups can say: "We forgive and we will start over." Another name for the Sacrament of Penance is the Sacrament of Reconciliation because, through it, we become one again with God, with ourselves, and with others. We confess our sin, we are sorry, we agree to change and perform a penance, we are forgiven, and we are sent forth to share this peace and reconciliation with others.

At the conclusion of the Sacrament of Confirmation, just before the Liturgy of the Eucharist, the deacon or minister prays that we as the Church of God will be a sign and witness of reconciliation:

> *For the holy Church of God,*
> *in union with [Name] our pope, [Name] our bishop, and*
> *   all the bishops,*
> *that God, who gathers us together by the Holy Spirit,*
> *may help us grow in unity of faith and love*
> *until his Son returns in glory:*
> *let us pray to the Lord.*
>
> *For all men,*
> *of every race and nation,*
> *that they may acknowledge the one God as Father,*
> *and in the bond of common brotherhood*
> *seek his kingdom,*
> *which is peace and joy in the Holy Spirit:*
> *let us pray to the Lord.*

Rite of Confirmation, 30

TALK ABOUT IT

Who are the people you can point to and say, "There is a forgiving person."

SIGNS OF FAITH

Absolution In the Sacrament of Reconciliation, through the absolution of the priest, God forgives or takes away a person's sins and the eternal punishment due because of mortal sins. The power to absolve sin was given to the Apostles and their successors by Jesus. (See *John 20:23*.) Only a validly ordained priest or bishop (the only ministers of this sacrament) can absolve a person who has confessed his or her sin. The person must be sorry and willing to make up for his or her sin in order to be absolved.

? Why is it important to you to receive absolution?

_____

_____

_____

_____

_____

_____

_____

_____

San Francisco de Asís, por Simone Martini

¡Vivamos

Testimonio de fe

Datos biográficos

San Francisco de Asís

1181 Nace Giovanni Francesco Bernardone.

1202 Es tomado prisionero en la guerra entre Asís y Perugia; se enferma gravemente.

1205 Tiene una experiencia donde ve en un crucifijo que le dicen "Ve, Francisco, y repara mi casa, que como ves está cayendo en la ruina".

1206 Francisco hace una peregrinación a Roma. Al regresar, su padre lo denuncia como loco y es desheredado. Francisco repara la iglesia de San Damián y se dedica a los pobres.

1209 Funda la Orden Franciscana.

1217 Los franciscanos llevan a cabo su primera reunión general con una asistencia de 5,000 personas.

1223 Se construye la primera representación de la escena del nacimiento de Jesús.

1224 Francisco recibe los estigmas.

1226 Muere en Asís.

1228 Es canonizado.

"He hecho de todo en este mundo. Si Dios puede obrar a través de mí, puede obrar a través de todos".

Practiquemos nuestra fe

Escogí Francisco como mi nombre de Confirmación en honor a San Francisco de Asís. Escuché de él por primera vez cuando era niño, y fue cuando mi mamá nos llevó a mi hermana y a mí con nuestro perro y nuestros gatos a la bendición de los animales. ¡Me encantó ver todos esos animales en el estacionamiento de la iglesia! Fue algo increíble. El sacerdote contó la historia de que San Francisco hablaba con los animales y que había tranquilizado a un perro salvaje de verdad. Por supuesto, como yo era un niño, lo encontré maravilloso.

Sin embargo, no fue por eso que lo escogí como mi patrón de Confirmación. Igual que Francisco y su padre, mi padre y yo no siempre vemos las cosas de la misma forma. Tengo ideas de lo que deseo hacer y algunas veces siento que él ni siquiera me escucha cuando hablo sobre ellas. Él es un abogado de mucho éxito y gana mucho dinero. Yo quisiera ser un abogado defensor algún día y ayudar a las personas que no pueden contratar a un abogado. Así que no hablamos de eso a menudo. Pero, según lo que he leído, aunque San Francisco tuvo algunos problemas parecidos con su padre, parece que salió bien.

Así que escogí el nombre Francisco como mi nombre de Confirmación.

Tanner K.

Witness of Faith

Bio Stats

Saint Francis of Assisi

1181 Giovanni Francesco Bernardone is born.

1202 He is taken as a prisoner in the war between Assisi and Perugia; he becomes seriously ill.

1205 He experiences a vision from a crucifix in which he is told to "Go, Francis, and repair my house, which as you see is falling into ruin."

1206 Francis makes a pilgrimage to Rome; upon his return, he is denounced by his father as a lunatic and is disinherited. He repairs the Church of San Damiano and dedicates himself to the poor.

1209 He founds the Franciscans.

1217 The Franciscans hold their first general meeting with 5,000 in attendance.

Saint Francis of Assisi, by Simone Martini

1223 They build the first Christmas crèche (nativity scene).

1224 Francis receives the stigmata.

1226 He dies at Assisi.

1228 He is canonized a saint.

"I have been all things unholy. If God can work through me, he can work through anyone."

Living It Out Today

I chose Francis for my Confirmation name after Saint Francis of Assisi. I first got to know about him when I was a little kid and my mother took my sister and me with our dog and cats to the blessing of the animals. I loved it: seeing all those animals in the church parking lot! It was something else. The priest told a story about Francis talking to the animals and calming a really wild dog. Of course, as a little kid, I thought that was awesome.

But that is not why I chose him for my Confirmation patron. Like Francis and his father, my father and I do not always see things the same way. There are ideas that I have about what I want to do, and sometimes I feel like he won't even listen to me about them. He is a very successful attorney and makes a lot of money. I want to be a public defender someday and help people who cannot afford to hire an attorney. So we don't talk about it much. But from what I read, even though Saint Francis had some of the same problems with his father, it looks like he turned out all right. So I chose Francis for my Confirmation name.

Tanner K.

La vida y la dignidad de la persona humana

El mensaje de Jesús acerca de la compasión hacia todos y de amar a nuestros enemigos contribuyó a su arresto y muerte. Pedro temió que le pasara lo mismo si no negaba conocer a Jesús. Francisco de Asís ya había estado en la guerra dos veces, la segunda vez en las cruzadas, antes de darse cuenta de que el camino de Dios hacia la paz era la reconciliación, no la guerra. Su padre y amigos lo repudiaron, pero Francisco estaba convencido de que los musulmanes eran tan hijos de Dios como los cristianos. Arriesgando su vida, suplicó tanto al papa como al sultán para que detuvieran las cruzadas.

Visiten la página **www.harcourtreligion.com** para descubrir más acerca de la doctrina social de la Iglesia Católica.

Respondamos
en fe

Mis reflexiones

En cada una de las siguientes declaraciones, hagan un círculo alrededor de la palabra que mejor describe sus experiencias y luego escriban un comentario sobre la declaración.

Para mí, es (fácil, difícil) perdonar.

_____

(Pido/no pido) ayuda al Espíritu Santo para resolver los conflictos en mi vida.

_____

Examino mi conciencia (rara vez, algunas veces, a menudo).

_____

Canciones

La Reconciliación significa volver a estar juntos. En el Rito de la Confirmación, oramos por un mundo reconciliado donde la gente de todas las razas y naciones reconoce un vínculo común y busca el reino de la paz y la alegría.

Con un compañero, escojan una situación de su ambiente (escuela, familia, etc.). Conversen acerca de cómo sería si todos los involucrados en esa situación trabajaran juntos para lograr un ambiente de paz y alegría. Usando la música de una canción conocida, escriban una canción que describa el nuevo ambiente.

ORACIÓN FINAL

Líder: *Señor Dios, deseamos dar testimonio de ti por toda la tierra.*

Todos: *Señor, haz de mí un instrumento de tu paz;*
que donde haya odio ponga yo el amor;
que donde haya ofensa ponga yo el perdón;
que donde haya discordia ponga yo la unión;
que donde haya error ponga yo la verdad;
que donde haya duda ponga yo la fe;
que donde haya desesperación ponga yo la esperanza;
que donde haya tinieblas ponga yo la luz;
que donde haya tristeza ponga yo la alegría.

Life and Dignity of the Human Person

Jesus' message of compassion for all and loving one's enemies contributed to his arrest and ultimate death. Peter was afraid that might happen to him if he didn't disown Jesus. Francis of Assisi had already gone to war twice—the second time to the Crusades—before he realized that God's way to peace was reconciliation, not war. His father and friends disowned him, but Francis was convinced that Muslims were no less children of God than Christians. Risking his life, he begged both the pope and the sultan to stop the Crusades.

 Visit **www.harcourtreligion.com** to discover more about Catholic social teachings.

⭐ Respond
in Faith

My Thoughts

In each statement below, circle the word that most describes your experience and then write a comment on the statement.

It is (easy, difficult) for me to forgive.

_____

I (do, do not) ask the Holy Spirit for help in resolving conflicts in my life.

_____

I examine my conscience (seldom, sometimes, often).

_____

Songs

Reconciliation means to come back together. In the Rite of Confirmation, we pray for a reconciled world where people of every race and nation acknowledge a common bond and seek a kingdom of peace and joy.

With a partner, choose one situation in your world (school, family, etc.) Discuss what it would be like if everyone in that situation worked together for an environment of peace and joy. Using the tune to a familiar song, write lyrics that describe what it would be like.

 CLOSING PRAYER

Leader: *Lord God, we long to be your witnesses throughout the earth.*

All: *Lord, make me an instrument of your peace!*
Where there is hatred, let me sow love.
Where there is injury, pardon.
Where there is discord, harmony.
Where there is doubt, faith.
Where there is despair, hope.
Where there is darkness, light.
Where there is sorrow, joy.

✦ Respondan
en fe

ÉNFASIS DE NUESTRO MISTERIO DE FE

Conversen acerca de las siguientes verdades de la fe. Concéntrense en cómo estas verdades de la fe han tenido o podrían tener hoy un efecto en sus vidas. Consulten la lección, si es necesario.

- Pecado es apartarse de Dios. Nuestros pecados pueden ser mortales o veniales.
- Una obra importante del Espíritu Santo es la conversión.
- Somos llamados al perdón y a la reconciliación.

ÉNFASIS DEL RITO

Durante la celebración, los candidatos han tenido la experiencia de hacer un examen de conciencia. Repasen el examen de conciencia que se encuentra en las páginas 146 y 148. Añadan otras reflexiones adecuadas.

Actúen juntos

Escojan una de las siguientes actividades para hacer juntos:

- Vean una película cuyo tema sea el perdón y la reconciliación y luego conversen sobre ella.

- Busquen una organización local cuya misión sea la reconciliación y la unidad, y ofrézcanse para trabajar de voluntarios por periodos de dos a tres horas.

- Busquen información acerca de grupos y organizaciones que trabajan para la reconciliación internacional. Escojan una para darle seguimiento.

SER CATÓLICO

Para el padrino o miembro de la familia: Reflexionen sobre las siguientes citas de católicos famosos y conversen sobre la relación con el pecado y el perdón en sus vidas.

❝ **Hay más gozo en el cielo por un pecador convertido que por una persona recta que se mantiene firme** ❞.

— Gregorio el Grande

Hagan un viaje con su familia o padrino

COMpARTAN juNTOS

Para el padrino o miembro de la familia: Hagan juntos el siguiente inventario y conversen sobre sus respuestas.

Inventario de reconciliación

Hagan un círculo alrededor de la letra S (Sí), N (No) o Q (Quizás) que represente la respuesta más adecuada para ustedes.

1. Con frecuencia doy el primer paso para perdonar.	S	N	Q
2. Necesito que me pidan disculpas antes de perdonar.	S	N	Q
3. Siempre hay alguien enojado conmigo.	S	N	Q
4. Creo en el dicho "ojo por ojo y diente por diente".	S	N	Q
5. Es difícil para mí aceptar que estoy equivocado.	S	N	Q
6. Me enojo con frecuencia.	S	N	Q
7. Provoco discusiones entre otras personas.	S	N	Q
8. Creo que perdonar es una debilidad.	S	N	Q
9. Nunca he deseado tomar venganza.	S	N	Q
10. Estoy dispuesto a hacer cualquier cosa para perdonar.	S	N	Q
11. Creo que unas personas son superiores a otras.	S	N	Q
12. Creo que sólo Dios puede perdonar.	S	N	Q
13. Puedo perdonar pero no olvidar.	S	N	Q
14. Finjo que perdono pero en realidad no lo hago.	S	N	Q
15. He sido perdonado.	S	N	Q

Para el padrino o miembro de la familia: Reflexionen sobre sus propios sentimientos y pensamientos acerca del pecado, el perdón y el Sacramento de la Reconciliación. Recuerden sus experiencias al celebrar el Sacramento de la Reconciliación. ¿Qué tipos de preparación los ayudaron?

❝ **El lugar para comenzar es con uno mismo. Nunca tendremos credibilidad como mediadores del perdón y la paz de otras personas si no tenemos un profundo sentido de paz en nuestro interior** ❞.

— Doris Donnelly

❝ **La reconciliación debe estar acompañada de la justicia, de otro modo no será duradera** ❞.

— Corazón Aquino

Respond
in Faith Together

FAITH FOCUS

Discuss the following beliefs together.
Focus on how these beliefs have or could
have an effect on your lives today.
Refer to the lesson, if necessary.

- Sin is turning away from God. Our sins can be mortal or venial.
- An important work of the Holy Spirit is conversion.
- We are called to forgive and to reconcile.

RITUAL FOCUS

During the celebration, the candidates
experienced an examination of conscience.
Review the examination of conscience
on pages 147 and 149 and together add
any appropriate reflection statements.

ACT TOGETHER

Choose one of the following activities to do together:

- View a movie that has forgiveness and reconciliation as a theme and discuss it afterward.

- Find a local organization that has a mission of reconciliation and unity and volunteer to work there for a two- to three-hour period.

- Research groups and organizations that work for international reconciliation. Choose one of them for follow-up.

BEING CATHOLIC

To the Sponsor or Family Member: Explore these quotes by famous Catholics and discuss how they relate to sin and forgiveness in your lives.

66 **There is more joy in heaven over a converted sinner than over a righteous person standing firm.** 99

— Gregory the Great

To the Sponsor or Family Member: Take the following inventory together and discuss your responses.

Reconciliation Inventory

Circle Y (Yes), N (No), or M (Maybe) as the response that most fits you.

	Y	N	M
1. I will often take the first step to forgive.	Y	N	M
2. I need an apology before I will forgive anyone.	Y	N	M
3. There is always someone mad at me.	Y	N	M
4. I believe in "an eye for an eye."	Y	N	M
5. It is difficult for me to say "I was wrong."	Y	N	M
6. I am often angry.	Y	N	M
7. I cause other people to argue.	Y	N	M
8. I think forgiving is a weakness.	Y	N	M
9. I have never wanted revenge.	Y	N	M
10. I am willing to go the extra mile to forgive someone.	Y	N	M
11. I think some people are superior to others.	Y	N	M
12. I think only God can really forgive.	Y	N	M
13. I can forgive but I cannot forget.	Y	N	M
14. I pretend to forgive, but don't really.	Y	N	M
15. I have experienced a lot of forgiveness.	Y	N	M

To the Sponsor or Family Member: Reflect on your own feelings and thoughts about sin, forgiveness, and the Sacrament of Reconciliation. Recall your experiences of celebrating the Sacrament of Reconciliation. What kinds of preparation did you find helpful?

"The place to start is with ourselves. We will never be credible mediators of forgiveness and peace to others unless we have some very profound sense of peace within ourselves."
— Doris Donnelly

"Reconciliation should be accompanied by justice, otherwise it will not last."
— Corazon Aquino

El desafío del Espíritu

Rito de apertura
Procesión con la Sagrada Escritura

 Cantemos.

Líder: Oremos.

Todos: *Hagamos la señal de la cruz.*

Líder: Dios, Padre, somos tus hijos. Por medio de tu Hijo, Jesús, estamos unidos a ti y con unos y otros como una familia. Por medio del poder del Espíritu Santo, fortalécenos para vivir nuestra misión de ser tus discípulos y de llevar tu mensaje a los demás. Te lo pedimos por Jesucristo nuestro Señor.

Todos: Amén.

Celebración de la Palabra

Líder: Lectura del santo Evangelio según San Juan.

Todos: Gloria a ti, Señor.

Líder: *Leamos Juan 6, 35-58.* Palabra del Señor.

Todos: Te alabamos, Señor Jesucristo.

Reflexionemos en silencio.

¿Qué les sugiere la imagen de Pan de Vida acerca de su relación con Jesús?

Challenged by the Spirit

Gathering Rite
Procession with the Word

 Sing together.

Somos el cuerpo de Cristo.
We are the body of Christ.
Hemos oído el llamado;
we've answered "Yes,"
to the call of the Lord.

> "Somos el Cuerpo de Cristo," © 1994, Bob Hurd and Jaime Cortez. Published by OCP Publications

Leader: Let us pray.

All: *Pray the Sign of the Cross together.*

Leader: God our Father, we are your children. Through your Son, Jesus, we are united with you and one another as one family. Through the power of the Holy Spirit, strengthen us to live out our mission as your disciples to bring life to others. We ask this through Jesus Christ our Lord.

All: Amen.

Celebration of the Word

Leader: A reading from the holy Gospel according to John.

All: Glory to you, Lord.

Leader: *Read John 6:35–58.* The Gospel of the Lord.

All: Praise to you, Lord Jesus Christ.

Reflect silently.

? What does the image of the Bread of Life suggest to you about your relationship with Jesus?

Compartan una comida

Siéntense a la mesa.

Líder: Bendito eres Padre todopoderoso, que nos das el pan nuestro de cada día. Bendito es tu Hijo unigénito, que continuamente nos alimenta con la palabra de vida. Bendito el Espíritu Santo que nos reúne en esta mesa de amor. Bendito sea Dios por toda la eternidad.

Todos: Amén.

Bendicional, 1069

Compartan los alimentos y la conversación en la mesa.

¡Evangelicemos!

Inclinen la cabeza y pidan a Dios que los bendiga.

La bendición para la misión

Líder: Hermanos y hermanas, oremos para que Dios, que es amor, encienda nuestros corazones con el fuego del Espíritu Santo, para darnos un amor ardiente por los demás, así como el amor de Cristo por nosotros.

Bendicional, 586

Todos: *Recemos en silencio.*

Líder: Bendito eres Señor, Dios de misericordia, que a través de tu Hijo nos diste un maravilloso ejemplo de caridad y el gran mandamiento de amarnos unos a otros. Envía tus bendiciones sobre estos tus siervos, quienes se dedican generosamente a ayudar a otros. Cuando sean llamados en momentos de necesidad, permíteles servirte fielmente en sus comunidades. Te lo pedimos por Jesucristo nuestro Señor.

Todos: Amén.

Bendicional, 587

 Repitamos el canto de entrada.

Sharing a Meal

Be seated around the table.

Leader: Blessed are you almighty Father, who gives us our daily bread. Blessed is your only begotten Son, who continually feeds us with the word of life. Blessed is the Holy Spirit, who brings us together at this table of love. Blessed be God now and forever.

All: Amen.

Book of Blessings, 1069

Share food and conversation at the table.

We Go Forth

Bow your heads and pray for God's blessing.

Blessing for Mission

Leader: My brothers and sisters, let us pray that God who is love will enkindle our hearts with the fire of the Holy Spirit, to give us an ardent love for others, like Christ's love for us.

Book of Blessings, 586

All: *Pray silently.*

Leader: Blessed are you, Lord, God of mercy, who through your Son gave us a marvelous example of charity and the great commandment of love for one another. Send down your blessings on these your servants, who so generously devote themselves to helping others. When they are called on in times of need, let them faithfully serve you in their neighbor. We ask this through Christ our Lord.

All: Amen.

Book of Blessings, 587

 Sing again the opening song.

La bendición para la misión

✦ Reflexionemos
acerca de la celebración

Compartamos
nuestra fe

Mis reflexiones

Las tres cosas más importantes de la comida que compartimos fueron:

_____
_____
_____
_____
_____
_____
_____
_____

▶ Reflexionen en silencio sobre las palabras de la bendición durante la celebración. Escojan la palabra o frase que sea más importante para ustedes. Con un compañero o en un grupo pequeño, compartan la frase y la razón para escogerla.

? ¿Cuáles son las características de una persona generosa?

▶ En un grupo pequeño, elaboren una lista de las bendiciones que necesitarán para servir a las necesidades de otras personas.

SÍMBOLO DEL ESPÍRITU SANTO

Dedo de Dios En el himno, *Veni, Creator Spiritus,* denominan al Espíritu Santo como el dedo de Dios. Algunos pasajes de la Sagrada Escritura también nombran al dedo de Dios. Se dice que los Diez Mandamientos fueron escritos por el "dedo de Dios" (*Éxodo 31, 18*). Jesús habla de echar los demonios con el dedo de Dios (*Lucas 11, 20*). El *Catecismo de la Iglesia Católica* hace referencia al versículo de la Sagrada Escritura, ". . . ustedes son una carta de Cristo. . . escrita no con tinta, sino con el Espíritu de Dios vivo; carta no grabada en tablas de piedra, sino en corazones humanos" (*2 Corintios 3, 3*) como una referencia a este título del Espíritu Santo.

? ¿Cómo los hace sentir la imagen de que ustedes sean una carta sobre Cristo escrita por el Espíritu Santo? Si las personas pudieran "leerlos" como si fueran una carta, ¿qué creen que aprenderían sobre Cristo?

_____
_____
_____
_____
_____
_____
_____

Blessing for Mission

Reflect
on the Celebration

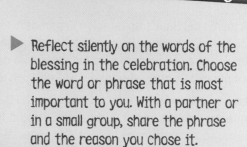

My Thoughts

The three most important things about the meal we shared were:

_____

_____

_____

_____

_____

_____

_____

_____

Faith Sharing

▶ Reflect silently on the words of the blessing in the celebration. Choose the word or phrase that is most important to you. With a partner or in a small group, share the phrase and the reason you chose it.

 What are the characteristics of a generous person?

▶ In a small group, make a list of the blessings you will need to serve the needs of others.

SYMBOL OF THE HOLY SPIRIT

Finger of God In the hymn *Veni, Creator Spiritus*, the Holy Spirit is referred to as the finger of God. Scripture passages also refer to the finger of God. The Ten Commandments are said to be written by the "finger of God" (*Exodus 31:18*). Jesus talks about casting out devils by the finger of God's hand. (See *Luke 11:20*.) The *Catechism of the Catholic Church* refers to the Scripture verse ". . . you are a letter of Christ . . . written not with ink but with the Spirit of the living God, not on tablets of stone but on tablets of human hearts" (*2 Corinthians 3:3*) as a reference to this title of the Holy Spirit.

How does the image of being a letter about Christ written by the Holy Spirit make you feel? What do you think people who might "read" you as a letter would learn about Christ?

_____

_____

_____

_____

_____

_____

_____

Jornada de iniciación

Comenzamos esta preparación para la Confirmación usando la imagen de un viaje de fe. Hacemos esta jornada con nuestros compañeros de jornada. Por medio de los Sacramentos de Iniciación, nos hacemos miembros de la Iglesia, que es tanto el *Cuerpo de Cristo* y un *pueblo peregrino*. En el Bautismo, nos unimos unos a otros en el Cuerpo de Cristo.

De todos los que han sido bautizados en agua y en el Espíritu Santo, has formado un pueblo, unido en tu Hijo, Jesucristo.

Ritual para el bautismo, 118

A través del Bautismo también llegamos a ser partícipes del sacerdocio de Cristo, *misión* de Rey profeta. Tenemos un propósito. Somos enviados a ser ejemplo para los demás y a dar testimonio de Jesucristo en palabras y obras dentro de la familia, en el trabajo y en la comunidad.

La Confirmación completa las gracias del Bautismo. A través de ella nuestro vínculo con el Cuerpo de Cristo, la Iglesia, se fortalece y profundiza. Recibimos la fortaleza especial del Espíritu Santo para ayudarnos en nuestra misión de dar testimonio. La Confirmación trae consigo una obligación de difundir y explicar la fe a los demás.

La comida durante un viaje

En un viaje la comida es una parte muy importante que solemos tener en cuenta. Cuando un grupo de personas decide hacer un largo viaje generalmente planifican cómo, qué y cuándo van a comer. La hora de comer es un momento especial. Los viajeros se reúnen para alimentarse y fortalecerse con la comida y la compañía. El Sacramento de la Eucaristía es el alimento espiritual del pueblo de Dios, peregrino en la tierra. Cuando los domingos celebramos la Eucaristía nos reunimos como comunidad de fe alrededor de la Mesa del Señor para darle culto y para alimentarnos con el Cuerpo y la Sangre de Jesús, realmente presente bajo las apariencias del pan y el vino. El Bautismo y la Confirmación son sacramentos que recibimos una sola vez en la vida, nos sellan y nos enriquecen para siempre. La Eucaristía es un sacramento que debemos recibir con mucha frecuencia porque es el sacramento que nos da energía y fuerza para ser mejores cada día no sólo a nivel personal sino que nos enriquece también como comunidad de creyentes. De este modo cumplimos el mandato del Señor de ser testigos en el mundo de la misión del Cuerpo de Cristo.

REFLEXIONEMOS SOBRE ESTOS PUNTOS

¿Cuál es la diferencia entre la experiencia de compartir una comida especial con miembros de la familia o amigos y comer solos deprisa?

COMPARTAMOS ESTOS PUNTOS

Con un compañero o en un grupo pequeño, creen un mapa de palabras y dibujos sobre las cosas que, además de los alimentos, los nutren y les dan vida durante las comidas.

Journey of Initiation

We began this preparation for Confirmation using the image of a faith journey. We make this journey with fellow travelers. Through the Sacraments of Initiation, we become members of the Church, which is both the *Body of Christ* and a *pilgrim people*. In Baptism we were joined to one another in the Body of Christ.

From all who are baptized in water and the Holy Spirit, you have formed one people, united in your Son, Jesus Christ.

Rite of Baptism, 118

Through Baptism we also became sharers in the priesthood of Christ and in his prophetic and royal *mission*. We have a purpose. We are being sent to be an example to others and to witness to Jesus Christ in words and actions in family, work, and the larger community.

Confirmation completes our baptismal grace. Through it, our bond with the Body of Christ, the Church, is strengthened and deepened. We are given special strength of the Holy Spirit to help us in our mission of witness. Confirmation brings with it an obligation to spread and explain the faith to others.

Meals on the Journey

Meals are an important part of a journey. People who set out on a long trip together often plan how, what, and when they are going to eat. Mealtime for them is a special time. They regroup as travelers, and they are fed and strengthened by food and companionship. The Sacrament of Eucharist is the sacred meal for the pilgrim people. Every Sunday we come together as a worshiping community at the table of the Lord to be nourished by the Body and Blood of Jesus Christ under the appearances of bread and wine. While Baptism and Confirmation are received only once in a person's life, we come to the Lord's table over and over again. Each time we participate in the Eucharist, we are nourished and strengthened as individuals and a community. We continue the work of our public witness to the mission of the Body of Christ in the world.

THINK ABOUT IT

How is the experience of sharing special meals with family members or friends different from eating alone, or grabbing a snack?

TALK ABOUT IT

With a partner or in a small group, create a word and picture map of what things beyond food give you nourishment and life at meals.

Las comidas de Jesús

VAYAMOS A LA FUENTE

Mateo 9, 9-11, 26, 26-29;
Marcos 14, 22-25; Lucas
7, 36-50, 11, 37-54, 19, 1-10,
22, 14-23; Juan 6, 22-59

REFLEXIONEMOS
SOBRE ESTOS PUNTOS

¿Cuáles son sus experiencias de haber sido alimentados o fortalecidos al participar en la Eucaristía?

COMPARTAMOS
ESTOS PUNTOS

Con un compañero o en un grupo pequeño, desarrollen tres o cuatro preguntas para usarse en un cuestionario sobre lo que los jóvenes creen acerca de la Eucaristía.

ÉNFASIS DE NUESTRO MISTERIO DE FE

¿Qué nos enseña la Sagrada Escritura acerca de la Eucaristía?

Lo que conocemos y creemos acerca de la presencia real de Jesús en la Eucaristía, y la celebración de la Eucaristía como una comida y un sacrificio, tienen sus raíces en la Sagrada Escritura. En el Evangelio de Juan, cuando la gente pide una señal, Jesús se refiere a sí mismo como el Pan de Vida. El Evangelio presenta a Jesús describiendo claramente lo que quiere decir con esa imagen. Para algunos de sus seguidores es difícil creer lo que les está diciendo y se alejan (*Juan 6, 35-58*). A pesar de eso, Jesús se mantiene firme en su enseñanza.

Los Evangelios describen muchas situaciones en las que Jesús está comiendo. Él proporciona comida para la gente. Predica y enseña durante las comidas. Come con pecadores y marginados de la sociedad. Incluso, utiliza la imagen de la comida para describir cómo es el reino. Durante su vida pública, cenaba junto a sus discípulos y amigos con frecuencia. La noche antes de su muerte, Jesús celebró la Última Cena con sus apóstoles. Es en esta cena que la Sagrada Escritura identifica al pan y el vino como el Cuerpo y la Sangre de Jesús; y el sacrificio en la cruz es la comida de la nueva alianza.

La Última Cena

LA SAGRADA ESCRITURA

Después tomó pan y, dando gracias, lo partió y se lo dio diciendo: "Esto es mi cuerpo, que es entregado por ustedes. (Hagan esto en memoria mía". Hizo lo mismo con la copa después de cenar, diciendo: "Esta copa es la alianza nueva sellada con mi sangre, que es derramada por ustedes").

Lucas 22, 19-20

El camino a Emaús

Después de la crucifixión y la resurrección, Jesús se apareció a sus seguidores mientras estos comían. Los apóstoles que regresaban a Emaús tuvieron una larga conversación con Él acerca de los acontecimientos de su muerte y resurrección, pero no lo reconocieron hasta que Él llegó a la mesa.

LA SAGRADA ESCRITURA

Y mientras estaba en la mesa con ellos, tomó el pan, pronunció la bendición, lo partió y se lo dio. En ese momento se les abrieron los ojos y lo reconocieron, pero él desapareció. Entonces se dijeron

Meals of Jesus

SCRIPTURE

GO TO THE SOURCE
Matthew 9:9–11, 26:26–29;
Mark 14:22–25; Luke 7:36–50,
11:37–54, 19:1–10, 22:14–23;
John 6:22–59

THINK ABOUT IT

In what ways do you experience being nourished or strengthened when you participate in the Eucharist?

TALK ABOUT IT

With a partner or in a small group, develop three to four questions to be used for a questionnaire about what young people believe about the Eucharist.

FAITH FOCUS

What does Scripture teach us about the Eucharist?

Our knowledge of and belief in Jesus' real presence in the Eucharist and the celebration of the Eucharist as a meal and a sacrifice are rooted in the Scriptures. In the Gospel of John, when the people ask for a sign, Jesus refers to himself as the Bread of Life. The Gospel portrays Jesus giving a very clear description of what he means by that image. It is difficult for some of his followers to believe what he is telling them and they turn away. (See *John 6:35–58*.) Even when this happens, Jesus remains firm in his teaching.

The Gospels describe many situations in which Jesus is at a meal. He provides meals for people. He preaches and teaches at them. He eats with sinners and outcasts. He even uses the image of a meal to describe what the kingdom is like. During his public life, he and his friends and followers dined together often. On the night before he died, Jesus ate the Last Supper with his Apostles. It is this meal that the Scriptures identify as Jesus' own Body and Blood; his sacrifice on the cross is the meal of the new covenant.

Last Supper

SCRIPTURE

Then he took a loaf of bread and when he had given thanks, he broke it and gave it to them, saying, "This is my body, which is given for you. Do this in remembrance of me." And he did the same with the cup after supper, saying, "This cup that is poured out for you is the new covenant in my blood . . ."

Luke 22:19–20

The Walk to Emmaus

After the crucifixion and Resurrection, Jesus appeared to his followers around meal settings. The Apostles who were returning to Emmaus had a long discussion with him about the events of his death and Resurrection, but they did not recognize him until he was at the table.

SCRIPTURE

He took bread, blessed and broke it, and gave it to them. Then their eyes were opened, and they recognized him; and he vanished from their sight. They said to each other, "Were not our hearts burning within us while he was talking to us on the road, while

el uno al otro: "¿No sentíamos arder nuestro corazón cuando nos hablaba en el camino y nos explicaba las Escrituras?".

De inmediato se levantaron y volvieron a Jerusalén, donde encontraron reunidos a los Once y a los de su grupo. Estos les dijeron: "Es verdad: el Señor ha resucitado y se ha aparecido a Simón". Ellos, por su parte, contaron lo sucedido en el camino y cómo lo habían reconocido al partir el pan.

Lucas 24, 30-35

La Iglesia primitiva

Los miembros de la Iglesia primitiva se identificaban como el Cuerpo de Cristo y usaban la frase "partir el pan" como un nombre para la Eucaristía.

 LA SAGRADA ESCRITURA

Cena en Emaús, por Marco Marziale, Venecia Italia (1492-1507)

Todos los días se reunían en el Templo con entusiasmo, partían el pan en sus casas y compartían la comida con alegría y con gran sencillez de corazón. Alababan a Dios y se ganaban la simpatía de todo el pueblo; y el Señor agregaba cada día a la comunidad a los que se iban salvando.

Hechos 2, 46-47

San Pablo

San Pablo escribió su primera carta a la Iglesia en Corintios para retarles y recordarles que ser el Cuerpo de Cristo era un llamado a la unidad y al sacrificio.

LA SAGRADA ESCRITURA

La copa de bendición que bendecimos, ¿no es comunión con la sangre de Cristo? Y el pan que partimos, ¿no es comunión con el cuerpo de Cristo? Así, siendo muchos formamos un solo cuerpo, porque el pan es uno y todos participamos del mismo pan.

1 Corintios 10, 16-17

 ¿Qué les dicen estas lecturas de la Sagrada Escritura sobre la Eucaristía?

 ¿Cuál de estas lecturas de la Sagrada Escritura describe mejor la comprensión que tienen ustedes de la Eucaristía?

 ## Compartamos
la Palabra

En grupos pequeños, lean las siguientes historias de los Evangelios de cuando Jesús alimentó a las multitudes y compárenlas elaborando una lista de diferencias y similitudes.

- Mateo 14, 13-21
- Mateo 15, 32-39
- Marcos 6, 30
- Marcos 8, 1-10
- Lucas 9, 10-17
- Juan 6, 1-14

he was opening the scriptures to us?" That same hour they got up and returned to Jerusalem; and they found the eleven and their companions gathered together. They were saying, "the Lord has risen indeed, and he has appeared to Simon!" Then they told what had happened on the road, and how he had been made known to them in the breaking of the bread.

Luke 24:30–35

Early Church

Early Church members identified themselves as the Body of Christ and used the phrase "breaking of the bread" as a name for the Eucharist.

 SCRIPTURE

Day by day, as they spent much time together in the temple, they broke bread at home and ate their food with glad and generous hearts, praising God and having the goodwill of all the people.

Acts 2:46–47

Saint Paul

Saint Paul wrote his first letter to the Church at Corinth to challenge and remind them that being the Body of Christ was a call to unity and sacrifice.

 SCRIPTURE

The cup of blessing that we bless, is it not a sharing in the blood of Christ? The bread that we break, is it not a sharing in the body of Christ? Because there is one bread, we who are many are one body, for we all partake of the one bread.

1 Corinthians 10:16–17

The meal at Emmaus Accademia, Vence, Italy by Marco Marziale (1492–1507)

? What do these Scripture readings tell you about the Eucharist?

? Which of these Scripture readings best describes your understanding of the Eucharist?

Share

the Word

In small groups, read the following Gospel stories about the feeding of the multitudes and compare them by creating a list of similarities and differences.

- Matthew 14:13–21
- Matthew 15:32–39
- Mark 6:30
- Mark 8:1–10
- Luke 9:10–17
- John 6:1–14

La Confirmación y la Eucaristía

ÉNFASIS DE NUESTRO MISTERIO DE FE

¿Cuál es la conexión entre Confirmación, Eucaristía y misión?

_Que Dios Padre todopoderoso,
que los ha adoptado como hijos,
haciéndolos renacer del agua
y del Espíritu Santo,
los bendiga
y los haga siempre dignos
de su amor paternal.
Amén._

Ritual para la confirmación, 49

Cuando celebren la Confirmación, habrán celebrado todos los Sacramentos de Iniciación. Pasarán a ser miembros plenos de la Iglesia. No obstante, la Confirmación no es el final. La iniciación en el Misterio Pascual de Jesús y de la vida de la Iglesia nunca termina; sino que nos sumerge en una relación de comunión con Dios y su pueblo para toda la vida. A pesar de que los Ritos de Iniciación están limitados en tiempo y espacio, nos conducen a una realidad mucho más rica y profunda de unión con el Padre, el Hijo y el Espíritu Santo. La Eucaristía es el sacramento continuo de la iniciación. No hay graduación. Como católicos plenamente iniciados, somos llamados a vivir por Cristo como discípulos y herederos del Reino de Dios. Se nos ha prometido el don de la vida eterna. Venimos a la Mesa del Señor todas las semanas a ser alimentados y nutridos. Nos convertimos en lo que comemos: el Cuerpo de Cristo.

SIGNOS DE FE

Pan y vino El pan y el vino son alimentos básicos de los seres humanos. Son aceptados casi universalmente como signos de alimento y celebración. En la misa usamos pan sin levadura y vino elaborado de la uva. En el altar, por el poder del Espíritu Santo y las oraciones y acciones del sacerdote, el pan y el vino se convierten en el Cuerpo y la Sangre de Jesús. Vienen a ser nuestro alimento espiritual.

Al acercarse al altar para ser alimentados con el Cuerpo y la Sangre de Jesús, ¿para qué quieren ser alimentados?

_____

_____

_____

_____

_____

_____

Confirmation and Eucharist

FAITH FOCUS

What is the connection between Confirmation, Eucharist, and mission?

The Holy Spirit
came down upon the disciples
and set their hearts on fire with love:
may he bless you,
keep you one in faith and love
and bring you to the joy of God's kingdom.
Amen.

Rite of Confirmation, 49

TALK ABOUT IT

Discuss recent experiences of unity that you have participated in or observed. What are some signs of unity?

When you celebrate Confirmation, you will have celebrated all the Sacraments of Initiation. You will be a full member of the Church. But Confirmation is not the end. Initiation into the Paschal Mystery of Jesus and the life of the Church never ends. It plunges us into a lifelong relationship of communion with God and his people. Though the rituals of initiation are limited in time and space, they lead us into a much richer and deeper reality of union with the Father, Son, and Holy Spirit. The Eucharist is an ongoing Sacrament of Initiation. There is no graduation. As fully initiated Catholics, we are called to live for Christ as disciples and heirs to God's kingdom. We are promised the gift of eternal life. We come to the Lord's table each week to be fed and nurtured. We become what we eat—the Body of Christ.

SIGNS OF FAITH

Bread and Wine Bread and wine are staple foods for humans. They are almost universally accepted as signs of nourishment and celebration. At Mass we use unleavened bread that is made without yeast and wine that is made from grapes. At the altar, by the power of the Holy Spirit and the prayers and actions of the priest, the bread and wine become the Body and Blood of Jesus. They become our spiritual food.

? When you approach the altar to be nourished by the Body and Blood of Jesus, what do you want to be nourished for?

_____

_____

_____

_____

_____

_____

Mistagogia

Aunque usamos palabras y frases como miembros "plenos" y "plenamente iniciados" en el Cuerpo de Cristo, no siempre reconocemos el significado de esas palabras y frases, ni siempre vivimos según ellas. Estamos hablando de un misterio. El misterio es que somos uno con Cristo, que poseemos los dones del Espíritu Santo y que Dios está presente en nuestras vidas y en la vida del mundo. No podemos explicar estas cosas, pero las creemos. La palabra griega *mistagogia* significa "descubrir los misterios". No somos capaces de comprender totalmente el misterio de la iniciación. Cuando pasamos tiempo en oración y reflexión, pensando sobre lo que nos ocurre al celebrar los Sacramentos de Iniciación, y experimentando la presencia del Dios vivo en nuestras vidas, nos dedicamos a la mistagogia. Gradualmente percibimos la grandeza del llamado a vivir como el Cuerpo de Cristo.

La misión

En el Bautismo todos los cristianos son llamados a la *misión*. Una misión es una tarea. La tarea de los cristianos bautizados es continuar la obra de Cristo en el mundo según el plan de Dios. Es nuestra misión ayudar a la gente a conocer el amor que existe en el Padre, el Hijo y el Espíritu Santo y a apreciar mejor el amor de Dios por ellos. El Espíritu Santo nos guía y vigoriza para esta misión. Cuando somos fieles a esta misión, encontramos la verdadera felicidad. Las personas llegan a conocer el amor y la salvación de Dios por medio de las acciones de la Iglesia, por medio de nuestras acciones. En el documento *Renewing the Vision: A Framework for Catholic Youth Ministry* ["Renovar la visión: un marco para el ministerio de la juventud católica"], los obispos de los Estados Unidos han identificado ocho componentes del ministerio de la juventud católica. Mientras piensan acerca de su misión, usen estos componentes y reflexionen en sus propios dones y en la forma en que pueden adelantar la misión de la Iglesia.

REFLEXIÓN PARA LA MISIÓN

		Puedo
Defensa	Hablar a favor de varios grupos tales como: las familias, los pobres, los ancianos.	
Catequesis	Participar en actividades para aprender más acerca de la Sagrada Escritura y las doctrinas de la Iglesia.	
Vida comunitaria	Participar en la comunidad parroquial y crear un ambiente de amor, apoyo y apreciación de la diversidad.	
Justicia y servicio	Trabajar por la justicia, al servir a los necesitados, perseguir la paz y defender los derechos y la dignidad de las otras personas.	
Evangelización	Invitar a la gente a tener una relación más profunda con Jesús, el Señor resucitado, y ayudarlos a vivir como sus discípulos.	
Liderazgo	Lograr que se expresen los dones y talentos de las personas y afirmarlos.	
Cuidado pastoral	Acompañar y ser compasivos con las personas que sufren o están necesitadas.	
Oración y culto	Orar y compartir con otros en oración y participación en la liturgia para profundizar en nuestra relación con Jesucristo.	

Mystagogy

Even though we use words and phrases such as "full" members of and "fully initiated" into the Body of Christ, we do not always recognize what those words and phrases mean, nor do we always live by them. We are talking about a mystery. It is a mystery that we are one with Christ, that we possess the Gifts of the Holy Spirit, and that God is present in our lives and the life of the world. We cannot explain these things, but we believe. The Greek word *mystagogy* means "to uncover the mysteries." We are not capable of fully grasping the mystery of initiation. When we spend time in prayer and reflection, thinking about what happens to us as we celebrate the Sacraments of Initiation and experiencing the presence of the Living God in our lives, we engage in mystagogy. We gradually see the greatness of the calling to live as the Body of Christ.

Mission

In Baptism all Christians are called to *mission*. A mission is a task. The task of baptized Christians is to continue the work of Christ in the world according to God's plan. It is our mission to help people come to know the love that exists in the Father, Son, and Holy Spirit and to better appreciate God's love for them. The Holy Spirit guides and energizes us for this mission. When we are faithful to this mission, we will find true happiness. People come to know God's love and salvation through the actions of the Church—through our actions. In the document *Renewing the Vision: A Framework for Catholic Youth Ministry*, the Bishops of the United States have identified eight components of Catholic youth ministry. As you think about your mission, use these components and reflect on your gifts and ways you can further the mission of the Church.

REFLECTION FOR MISSION

		I can
Advocacy	Speaking on behalf of various groups, such as families, the poor, the elderly	
Catechesis	Participating in activities to learn more about Scripture and the Doctrines of the Church	
Community Life	Participating in the parish community and building an environment of love, support, and an appreciation of diversity	
Justice and Service	Working for justice, serving those in need, pursuing peace, and defending the rights and dignity of others	
Evangelization	Inviting people into a deeper relationship with Jesus, the Risen Lord, and helping them live as his disciples	
Leadership	Calling forth and affirming the gifts and talents of others	
Pastoral Care	Being a compassionate presence and outreach to others who are hurting and in need	
Prayer and Worship	Praying and worshiping with others to deepen everyone's relationship with Jesus Christ through communal and liturgical prayer	

Testimonio de fe

Datos biográficos

Beata Madre Teresa

1910 Nace Agnes Gonxha Bojaxhiu en Skopje, Macedonia.

1922 A la edad de 12 años siente el llamado para ser misionera.

1928 Va a Dublín, Irlanda, y se une a las Hermanas de Nuestra Señora Loreto, una comunidad irlandesa con misiones en la India.

1931 Teresa toma sus primeros votos.

1948 Enseña en el Colegio Saint Mary en Calcuta. Más tarde, deja la escuela del convento para trabajar con los pobres en los barrios de Calcuta. Adopta la ciudadanía India.

1950 Madre Teresa funda las Misioneras de la Caridad para trabajar con los pobres.

1971 Recibe el Premio de la Paz del Papa Juan XXIII.

1972 Recibe el Premio Jawaharlal Nehru de la India para la comprensión internacional.

1996 Recibe la ciudadanía honoraria de los Estados Unidos.

1997 Muere Madre Teresa.

2003 El Papa Juan Pablo II la beatifica.

"No esperen por los líderes; háganlo ustedes, de persona a persona".

Practiquemos nuestra fe

El año antes de ser confirmada, pasé varias semanas con mi tía Carmen y mi tío Pedro en Washington, DC. Mi tía trabajaba como voluntaria en la Casa de las Misioneras de la Caridad y mi tío era uno de sus asesores financieros. Mientras me encontraba allí, la Madre Teresa vino a la ciudad para participar en una reunión. Mis tíos me invitaron para que fuera con ellos a una pequeña recepción al hogar de las misioneras. Había visto el video "Something Beautiful for God" ["Algo bello para Dios"] y sabía quién era la Madre Teresa y el bien que había hecho; así que estaba realmente entusiasmada por conocerla.

Lo primero que me impresionó fue lo pequeña y vieja que era. Me le acerqué y me tomó la mano; pude ver que tenía mucha energía. Pensé que era asombrosa. No puedo recordar lo que me dijo, si es que me dijo algo, pero después que nos fuimos de la fiesta seguí pensando sobre cómo una mujer tan pequeña podía hacer tanto bien por tanta gente. Volví a leer la historia de su vida y busqué pistas sobre cómo yo podría comprometerme e imitarla. Me di cuenta de que cuando la Madre Teresa sentía verdadero deseo de hacer algo por los pobres, actuaba. Así que escogí Teresa como mi nombre de Confirmación. Ahora, presto mayor atención a las oportunidades que se me puedan presentar para actuar en favor de las personas que necesitan ayuda.

Mary C.

Witness of Faith

Bio Stats

Blessed Mother Teresa

1910 Agnes Gonxha Bojaxhiu is born in Skopje, Macedonia.

1922 At the age of twelve, she feels the call to be a missionary.

1928 She goes to Dublin, Ireland and joins the Sisters of Loreto, an Irish community with missions in India.

1931 Teresa takes her first vows.

1948 She teaches at St. Mary's High School in Calcutta. She later leaves the convent school to work with the poor in the slums of Calcutta. She becomes an Indian citizen.

1950 Mother Teresa founds the Missionaries of Charity to work with the poor.

1971 She receives the Pope John XXIII Peace Prize.

1972 She receives India's Jawaharlal Nehru Award for International Understanding.

1996 She receives honorary U.S. citizenship.

1997 Mother Teresa dies.

2003 Pope John Paul II beatifies Mother Teresa.

"Do not wait for leaders; do it alone, person to person."

Living It Out Today

The year before I was confirmed, I spent a few weeks with my Aunt Carmen and Uncle Pete in Washington, DC. My aunt did volunteer work with the Missionaries of Charity Home there, and my uncle was one of their financial advisors. While I was there, Mother Teresa came to the city for a meeting. My aunt and uncle invited me to go with them to a small reception at the Missionaries' house. I had seen the video "Something Beautiful for God." I was aware of who Mother Teresa was and the good she had done, so I was really excited to meet her.

The thing that struck me first was how small and old she was. I got up close to her and she took my hand; I could see how much energy she had. I thought she was amazing. I cannot remember what she said to me, if she said anything, but after we left the party, I kept thinking about how one small woman could do so much good for so many people. I read her life story again and looked for cues on how I could make a difference. I saw that when Mother Teresa felt really moved to do something for the poor, she acted. So, I chose Teresa for my Confirmation name. Now I practice paying attention to opportunities where I can act on behalf of people who need help.

Mary C.

Fe en acción

La alternativa para los pobres y los vulnerables

La Beata Madre Teresa vivió siguiendo el ejemplo de Miqueas 6, 8—actuó con justicia, amó con ternura y caminó humildemente con Dios. Al igual que Jesús, ella concentró su amor de forma especial en los pobres y vulnerables. Nosotros también podemos hacerlo, particularmente cuando llegamos a conocer al menos a uno de estos hijos especiales de Dios y lo convertimos en parte importante de nuestras vidas. Además de compartir algo de nuestro tiempo y quizás nuestros recursos con esas personas, podemos usar nuestro nuevo conocimiento de sus necesidades y convertirnos en sus defensores. Podemos abogar por ellas en las agencias locales, la legislatura estatal o el Congreso de los Estados Unidos cuando estén tomando decisiones.

Centro de recursos en línea

Visiten la página **www.harcourtreligion.com** para descubrir más acerca de la doctrina social de la Iglesia Católica.

Respondamos
en fe

Mis reflexiones

Mientras se preparan para vivir como miembros plenos del Cuerpo de Cristo, escriban su declaración de misión personal aquí. Usen las siguientes tres preguntas como guía:

¿Quién soy?
¿Qué quiero hacer?
¿Cómo lo haré?

_____

_____

_____

El proyecto para la misión

Con un compañero o en un grupo pequeño, investiguen un proyecto para su misión. Busquen ideas en su oficina local de Caridades Católicas o servicios sociales, el comité de asuntos sociales de su parroquia o en algún problema de la comunidad. Escojan juntos una actividad y preparen un plan para participar en él en los próximos dos meses.

ORACIÓN FINAL

Señor Dios, envíanos como tu Cuerpo, fortalecidos por el poder y la presencia de tu Espíritu Santo. Enséñanos tus caminos y guíanos para hacer tu voluntad por el bien del mundo y de todos nuestros hermanos y hermanas. Haz que vivamos de manera que los demás te conozcan a ti y a tu presencia sanadora y generosa. Por Jesucristo nuestro Señor que vive y reina contigo en unidad del Espíritu Santo y es Dios por los siglos de los siglos.

Amén.

Option for the Poor and Vulnerable

Blessed Mother Teresa lived as a saintly example of Micah 6:8—she acted with justice, loved tenderly, and walked humbly with God. Like Jesus, she focused her love especially on those who were poor and vulnerable. We can, too, especially when we get to know at least one of these special children of God and make them an important part of our lives. Besides sharing some of our time and perhaps our resources with such persons, we can take our new awareness of their needs and become their advocates. Whether it's local agencies, the state legislature, and/or the U.S. Congress that need to act, we can add our voices on their behalf.

 Visit **www.harcourtreligion.com** to discover more about Catholic social teachings.

✷ Respond
in Faith

My Thoughts

As you prepare to live as a full member of the Body of Christ, write your personal mission statement here. Use these three questions as a guide:

> Who am I?
> What do I want to do?
> How will I do it?

_____

_____

_____

Mission Project

With a partner or in a small group, research a mission project. Look to local Catholic charities, your parish social concerns committee, or a neighborhood concern for ideas. Together choose an activity and make a plan to participate in it over the next two months.

 CLOSING PRAYER

Lord God, send us forth as your Body, strengthened by the power and presence of your Holy Spirit. Teach us your ways and guide us to do your will for the sake of the world and all of our brothers and sisters. May we live in such a way that others will come to know you and your healing and generous presence. We ask this in your name.

Amen.

Respondan
en fe

ÉNFASIS DE NUESTRO MISTERIO DE FE

Conversen acerca de las siguientes verdades de la fe. Concéntrense en cómo estas verdades de la fe han tenido o podrían tener hoy un efecto en sus vidas. Consulten la lección, si es necesario.

- La Iglesia es el Cuerpo de Cristo y un pueblo peregrino.

- A través de la Confirmación, nuestro vínculo con la Iglesia se fortalece y nosotros recibimos del Espíritu Santo la fortaleza para ayudarnos a dar testimonio.

- La Eucaristía nos nutre y fortalece para la misión.

ÉNFASIS DEL RITO

Durante la celebración, los candidatos compartieron una comida y recibieron una bendición para la misión. Compartan una cena especial y agradezcan el apoyo y la participación que se brindaron unos a otros durante este periodo de preparación.

Actúen juntos

Escojan una de las siguientes actividades para realizarla juntos:

- Planifiquen y preparen una comida para miembros de la familia y sus amigos. Como parte de la comida, desarrollen un rito sencillo donde partan pan y compartan una experiencia reciente de la presencia de Cristo.

- Trabajen como voluntarios en un comedor de beneficencia o sirvan comida en una Casa del Obrero Católico.

- Busquen información acerca del hambre en el mundo. Escojan un proyecto en este campo en el que puedan continuar trabajando juntos después de la Confirmación.

SER CATÓLICO

Para el padrino o miembro de la familia: Reflexionen sobre las siguientes citas de católicos famosos y conversen sobre cómo se relacionan con su comprensión de la conexión entre la Eucaristía y la misión en la vida católica.

❝ Si nos detuviéramos aunque fuera por un momento, para considerar con atención lo que sucede en este sacramento, estoy segura de que el pensamiento del amor de Cristo por nosotros transformaría la frialdad de nuestros corazones en un fuego de amor y gratitud ❞.

— Santa Ángela de Foligno

compartan juntos

Para el padrino o miembro de la familia: Repasen el siguiente inventario. Conversen con el candidato sobre el mismo y llénenlo juntos. También, pueden completar uno para ustedes solos. Cuando terminen, conversen acerca de las medidas que se pueden tomar para fortalecer la salud espiritual del candidato.

Inventario de salud espiritual				
	Es una fortaleza	Lo está haciendo bien	Necesita mejorar	Es una debilidad
Saca tiempo para la oración personal				
Participa en la Eucaristía dominical				
Recibe el sacramento de la Reconciliación con frecuencia				
Practica la gratitud y generosidad				
Admite sus culpas y malas acciones				
Acepta el perdón y perdona a los demás				
Busca oportunidades de conversión				
Respeta la santidad de la vida				
Respeta y protege los derechos de los demás				
Cultiva el amor por la justicia y la paz				
Estudia y reza la Sagrada Escritura				
Aprecia las doctrinas de la Iglesia				
Sé conciente de que Dios está presente en toda la creación.				
Actúa de acuerdo a valores morales				
Sirve a los demás voluntariamente				

Para el padrino o miembro de la familia: Reflexionen acerca de sus propias experiencias de ser fortalecidos y nutridos para vivir la vida cristiana. ¿De qué maneras la celebración de la Eucaristía les ha ayudado a llevar una vida cristiana en el mundo?

❝ Por medio de nuestros pequeños actos de caridad practicados en la sombra, convertimos almas hasta de muy lejos, ayudamos a los misioneros, ganamos para ellos limosnas abundantes; y por ese medio construimos verdaderas moradas espirituales y materiales para nuestro Señor eucarístico ❞.
— Santa Teresa de Lisieux

❝ Feliz es el alma que sabe cómo encontrar a Jesús en la Eucaristía, y a la Eucaristía en todas las cosas ❞.
— San Pedro Julian Eymard

Respond
in Faith Together

FAITH FOCUS

Discuss the following beliefs together. Focus on how these beliefs have or could have an effect on your lives today. Refer to the lesson, if necessary.

- The Church is the Body of Christ and a pilgrim people.
- Through Confirmation our bond with the Church is strengthened and we receive the special strength of the Holy Spirit to help us be witnesses.
- The Eucharist nourishes and strengthens us for mission.

RITUAL FOCUS

During the celebration, the candidates experienced the sharing of a meal and blessing for mission. Share a special meal together and thank each other for the support and sharing during this period of preparation.

ACT TOGETHER

Choose one of the following activities to do together:

- Plan and prepare a meal for family members and/or friends. As part of the meal, develop a simple ritual of breaking bread and sharing a recent experience of Christ's presence.
- Volunteer to work at a soup kitchen or serve meals at a Catholic Worker House.
- Research world hunger. Choose a project in this field that you can continue to be involved in together after Confirmation.

BEING CATHOLIC

To the Sponsor or Family Member: Explore these quotes by famous Catholics and discuss how they relate to your understanding of the connection of Eucharist and mission in Catholic life.

" If we but paused for a moment to consider attentively what takes place in this Sacrament, I am sure that the thought of Christ's love for us would transform the coldness of our hearts into a fire of love and gratitude. "
— Saint Angela of Foligno

To the Sponsor or Family Member: Look over the inventory below. Discuss it with the candidate and together fill it in. You may choose to do one for yourself, too. When the inventory is completed, discuss what actions can be taken to strengthen the candidate's spiritual health.

Spiritual Health Inventory				
	A Strength	Doing Fine	Needs Work	A Weakness
Makes time for personal prayer				
Participates in Sunday Eucharist				
Receives the Sacrament of Reconciliation frequently				
Nurtures a spirit of gratitude and generosity				
Admits faults and wrongdoing				
Accepts forgiveness and forgives others				
Seeks opportunities for conversion				
Respects the sanctity of life				
Respects and protects the rights of others				
Cultivates a love for justice and peace				
Studies and prays with Scripture				
Appreciates the doctrines of the Church				
Fosters an awareness of God's presence in creation				
Acts on moral values				
Serves others willingly				

To the Sponsor or Family Member: Reflect on your own experiences of being strengthened and nurtured to live the Christian life. In what ways does celebrating the Eucharist help you live a Christian life in the world?

❝ By our little acts of charity practiced in the shade we convert souls far away, we help missionaries, we win for them abundant alms; and by that means build actual dwellings spiritual and material for our Eucharistic Lord. ❞
— Saint Therese of Lisieux

❝ Happy is the soul that knows how to find Jesus in the Eucharist, and the Eucharist in all things! ❞
— Saint Peter Julian Eymard

Orden del rito de la Confirmación

El rito esencial de la Confirmación es la unción en la frente con el santo crisma. Este gesto está acompañado por la imposición de las manos y las palabras, "Recibe por esta señal el Don del Espíritu Santo". (9)

A fin de mantener la conexión fundamental de la Confirmación con el Bautismo y la Eucaristía como Sacramentos de Iniciación, se renuevan las promesas bautismales durante la celebración de la Confirmación. Es preferible que la Confirmación se celebre dentro de la Misa para que todos puedan participar de la Eucaristía, ya que "la iniciación cristiana alcanza su culmen en la comunión del Cuerpo y de la Sangre de Cristo". (13)

La Liturgia de la Palabra

La Liturgia de la Palabra se celebra de forma ordinaria. Las lecturas para la misma pueden escogerse de la Misa del día, del leccionario (núms. 763-767) o del rito mismo (núms. 61-75).

Sacramento de la Confirmación

Presentación de los candidatos

Después de la lectura del Evangelio, el párroco, otro sacerdote, el diácono o el catequista presenta los candidatos para la Confirmación; generalmente a cada candidato se le llama por su nombre y pasa adelante con su padrino o padre, o permanece de pie para la presentación.

Homilía o instrucción

El obispo da una breve homilía para ayudar a la asamblea a entender el significado de la Confirmación.

Renovación de las promesas bautismales

Después de la homilía, los candidatos se ponen de pie y renuevan sus promesas bautismales frente al obispo o sacerdote.

Obispo: *¿Renuncian ustedes a Satanás, y a todas sus obras y seducciones?*

Candidatos: *Sí, renuncio.*

Obispo: *¿Creen en Dios, Padre todopoderoso, creador del cielo y de la tierra?*

Candidatos: *Sí, creo.*

Obispo: *¿Creen en Jesucristo, su único Hijo, nuestro Señor, que nació de Santa María Virgen, padeció, fue sepultado, resucitó de entre los muertos y está sentado a la derecha del Padre?*

Candidatos: *Sí, creo.*

Obispo: *¿Creen en el Espíritu Santo, Señor y dador de vida, que hoy les va a ser comunicado de un modo singular por el Sacramento de la Confirmación, como fue dado a los Apóstoles el día de Pentecostés?*

Candidatos: *Sí, creo.*

Order of the Rite of Confirmation

The essential rite of Confirmation is the anointing with sacred chrism on the forehead. This gesture is accompanied by the laying on of hands and the words: "Be sealed with the Gift of the Holy Spirit." (9)

In order to keep the fundamental connection of Confirmation to Baptism and the Eucharist as Sacraments of Initiation, there is a renewal of baptismal promises during the celebration of Confirmation and it is preferred that Confirmation be celebrated within the Mass so all can participate in the Eucharist since "Christian initiation reaches its culmination in the communion of the body and blood of Christ." (13)

Liturgy of the Word

The Liturgy of the Word is celebrated in the ordinary way. The readings for the Liturgy of the Word may be chosen from the Mass of the day, the Lectionary (nos. 763–767), or from the Rite itself (nos. 61–75).

Sacrament of Confirmation

Presentation of the Candidates

After the reading of the Gospel, the pastor, another priest, deacon, or catechist presents the candidates for Confirmation; usually each candidate is called by name and comes forward with his or her sponsor or parent or stands for the presentation.

Homily or Instruction

The bishop gives a brief homily to help the whole assembly understand the meaning of Confirmation.

Renewal of Baptismal Promises

After the homily, the candidates stand and renew their baptismal promises before the bishop or priest.

Bishop:	*Do you reject Satan and all his works and all his empty promises?*
Candidates:	*I do.*
Bishop:	*Do you believe in God the Father almighty, creator of heaven and earth?*
Candidates:	*I do.*
Bishop:	*Do you believe in Jesus Christ, his only Son, our Lord, who was born of the Virgin Mary, was crucified, died, and was buried, rose from the dead, and is now seated at the right hand of the Father?*
Candidates:	*I do.*
Bishop:	*Do you believe in the Holy Spirit, the Lord, the giver of life, who came upon the apostles at Pentecost and today is given to you sacramentally in confirmation?*
Candidates:	*I do.*

Obispo: *Ésta es nuestra fe. Esta es la fe de la Iglesia, que nos gloriamos de profesar, en Jesucristo, nuestro Señor.*

Ritual para la Confirmación, 23

La imposición de las manos

El obispo y los sacerdotes que celebran la Confirmación se ponen de pie juntos e imponen las manos a todos los candidatos extendiéndolas sobre ellos. El obispo es el único que ora pidiendo a Dios por los dones del Espíritu Santo.

Oremos, hermanos, a Dios, Padre todopoderoso,
por estos hijos suyos,
que renacieron ya a la vida eterna en el Bautismo,
para que envíe abundantemente sobre ellos
al Espíritu Santo,
a fin de que este mismo Espíritu
los fortalezca con la abundancia de sus dones,
los consagre con su unción espiritual
y haga de ellos imagen fiel de Jesucristo.

Ritual para la Confirmación, 24

Todos oran en silencio unos instantes.

El obispo y los sacerdotes extienden sus manos mientras el obispo, él solo, canta o dice:

Dios todopoderoso,
Padre de nuestro Señor Jesucristo,
que has hecho nacer de nuevo a estos hijos tuyos
por medio del agua y del Espíritu Santo,
librándolos del pecado, escucha nuestra oración
y envía sobre ellos al Espíritu Santo Consolador:
espíritu de sabiduría y de inteligencia,
espíritu de consejo y de fortaleza,
espíritu de ciencia, de piedad
y de tu santo temor.
Por Jesucristo, nuestro Señor.

Ritual para la Confirmación, 25

Todos: *Amén.*

La unción con el santo crisma

Cada candidato se acerca al obispo. El padrino coloca la mano derecha sobre el hombro de su candidato y dice el nombre de éste al obispo, o el mismo candidato puede decir su nombre.

El obispo moja el dedo pulgar derecho en el crisma, hace la señal de la cruz sobre la frente del candidato y dice:

Obispo: *[Nombre], recibe por esta señal el Don del Espíritu Santo.*

Candidato: *Amén.*

Obispo: *La paz esté contigo.*

Candidato: *Y con tu espíritu.*

Ritual para la Confirmación, 27

Oración de los fieles

Las oraciones son ofrecidas para aquellos que han sido confirmados, sus padres y padrinos, la Iglesia y el mundo.

Bishop: *This is our faith. This is the faith of the Church.*
We are proud to profess it in Christ Jesus our Lord.

Rite of Confirmation, 23

The Laying on of Hands

The bishop and the concelebrating priests stand together and lay hands on all the candidates by extending their hands over them. The bishop alone prays the prayer asking God for the Gifts of the Holy Spirit.

My dear friends:
in baptism God our Father gave the new birth of eternal life
to his chosen sons and daughters.
Let us pray to our Father
that he will pour out the Holy Spirit
to strengthen his sons and daughters with his gifts
and anoint them to be more like Christ the Son of God.

All pray in silence for a short time.

Rite of Confirmation, 24

The bishop and priests extend their hands while the bishop alone sings or says:

All-powerful God, Father of our Lord Jesus Christ,
by water and the Holy Spirit
you freed your sons and daughters from sin
and gave them new life.
Send your Holy Spirit upon them
to be their Helper and Guide.
Give them the spirit of wisdom and understanding,
the spirit of right judgment and courage,
the spirit of knowledge and reverence.
Fill them with the spirit of wonder and awe in your presence.
We ask this through Christ our Lord.

All: *Amen.*

Rite of Confirmation, 25

The Anointing with Chrism

Each candidate goes before the bishop. The sponsor places his or her right hand on the candidate's shoulder and gives the candidate's name to the bishop, or the candidate may give his or her own name.

The bishop dips his right thumb in the chrism, makes the Sign of the Cross on the candidate's forehead, and says:

Bishop: *[Name], be sealed with the Gift of the Holy Spirit.*

Candidate: *Amen.*

Bishop: *Peace be with you.*

Candidate: *And also with you.*

Rite of Confirmation, 27

General Intercessions

Intercessions are offered for those who were confirmed, their parents and godparents, the Church, and the world.

Liturgia Eucarística

Al finalizar la oración de los fieles, sigue la Liturgia Eucarística en la que todo se realiza como de ordinario excepto lo siguiente: se omite la profesión de fe, algunos de los confirmados pueden presentar las ofrendas en el altar.

Bendición

En lugar de la bendición usual, el obispo hace una bendición especial por la asamblea:

> *Que Dios Padre todopoderoso,*
> *que los ha adoptado como hijos,*
> *haciéndolos renacer del agua*
> *y del Espíritu Santo,*
> *los bendiga*
> *y los haga siempre dignos*
> *de su amor paternal.*

Todos: *Amén.*

> *Que el Hijo unigénito de Dios,*
> *que prometió a su Iglesia*
> *la presencia continua del Espíritu de verdad,*
> *los bendiga y los confirme*
> *en la confesión de la fe verdadera.*

Todos: *Amén.*

> *Que el Espíritu Santo,*
> *que encendió en el corazón de los discípulos*
> *el fuego del amor,*
> *los bendiga y,*
> *congregándolos en la unidad,*
> *los conduzca,*
> *a través de las pruebas de la vida,*
> *a los gozos del Reino entero.*

Todos: *Amén.*

> *Y que a todos ustedes aquí presentes*
> *los bendiga Dios todopoderoso,*
> *Padre, Hijo y Espíritu Santo.*

Todos: *Amén.*

Ritual para la Confirmación, 33

Oración por la asamblea

En lugar de la bendición anterior, el obispo puede rezar la siguiente oración por la asamblea:

> *Confirma, Señor,*
> *lo que has realizado en nosotros*
> *y conserva en el corazón de tus fieles*
> *los dones del Espíritu Santo,*
> *para que nunca se avergüencen*
> *de dar testimonio de Jesucristo*
> *y cumplan siempre con amor tu voluntad.*

Todos: *Amén.*

Ritual para la Confirmación, 33

Liturgy of the Eucharist

At the conclusion of the General Intercessions, the Liturgy of the Eucharist continues according to the Order of Mass except the profession of faith is omitted, since it has already been made, and some of the newly confirmed may bring the gifts to the altar.

Blessing

Instead of the usual blessing, the bishop prays a special blessing over the people:

God our Father
made you his children by water and the Holy Spirit:
may he bless you
and watch over you with his fatherly love.

All: *Amen.*

Jesus Christ the Son of God
promised that the Spirit of truth
would be with his Church for ever:
may he bless you and give you courage
in professing the true faith.

All: *Amen.*

The Holy Spirit
came down upon the disciples
and set their hearts on fire with love:
may he bless you
keep you one in faith and love
and bring you to the joy of God's kingdom.

All: *Amen.*

May almighty God bless you,
the Father, and the Son, and the Holy Spirit.

All: *Amen.*

Rite of Confirmation, 33

Prayer Over the People

Instead of the preceding blessing, the bishop may pray the following prayer over the people:

God our Father,
complete the work you have begun
and keep the gifts of the Holy Spirit
active in the hearts of your people.
Make them ready to live his Gospel
and eager to do his will.
May they never be ashamed
to proclaim to all the world Christ crucified
living and reigning for ever and ever.

All: *Amen.*

Rite of Confirmation, 33

La celebración de la Reconciliación

Rito para la Reconciliación individual

La preparación del sacerdote y del penitente

Antes de celebrar el Sacramento de la Reconciliación, tanto el sacerdote como el penitente se preparan para celebrar el sacramento mediante la oración. ". . . los penitentes deben examinar su comportamiento a la luz de el ejemplo y los mandamientos de Cristo y, luego, orar a Dios por el perdón de sus pecados". (15)

Hay dos formas en las que se celebra el Sacramento de la Reconciliación:

- frente a frente al sacerdote
- detrás de una celosía.

El penitente puede escoger su preferencia.

La bienvenida al penitente

El sacerdote da la bienvenida al penitente y éste hace la señal de la cruz.

La lectura de la Palabra de Dios

El sacerdote o el penitente puede leer un texto de la Sagrada Escritura, o puede hacerlo antes como preparación para la celebración del sacramento.

La confesión del penitente y su aceptación de la penitencia

El penitente confiesa sus pecados al sacerdote confesor. El confesor puede ayudar al penitente a hacer una confesión completa, instarlo a estar sinceramente arrepentido y brindarle consejo e instrucción práctica. Luego, el sacerdote le da una penitencia cuya intención es compensar por los pecados pasados y ser "una ayuda para una nueva vida y un antídoto contra la debilidad". (18)

La oración del penitente y la absolución del sacerdote

El penitente expresa arrepentimiento por sus pecados y resuelve comenzar una nueva vida diciendo éstas o semejantes palabras:

> *Dios, Padre misericordioso,*
> *que reconcilió al mundo consigo*
> *por la muerte y la resurrección de su Hijo*
> *y envió al Espíritu Santo para el perdón de los pecados,*
> *te conceda, por el ministerio de la Iglesia,*
> *el perdón y la paz.*
> *Y YO TE ABSUELVO DE TUS PECADOS,*
> *EN EL NOMBRE DEL PADRE, Y DEL HIJO,*
> *Y DEL ESPÍRITU SANTO.*

Penitente: *Amén.*

Ritual de la Penitencia, 46

Alabanza a Dios y despedida del penitente

Después de la absolución, el sacerdote dice:

> *Demos gracias al Señor porque es bueno.*

Penitente: *Porque es eterna su misericordia.*

Ritual de la Penitencia, 47

Rite for Reconciliation of Individual Penitents

Preparation of Priest and Penitent

Before celebrating the Sacrament of Reconciliation, both the priest and penitent prepare themselves by prayer to celebrate the sacrament. ". . . penitents should compare their own life with the example and commandments of Christ and then pray to God for the forgiveness of their sins." (15)

Penitents may choose to meet with the priest face-to-face or behind a screen.

Welcoming the Penitent

The priest welcomes the penitent and the penitent makes the Sign of the Cross.

Reading of the Word of God

The priest or the penitent may read a text of holy Scripture, or this may be done as part of the preparation for the celebration of the sacrament.

Penitent's Confession and Acceptance of the Penance

The penitent confesses his or her sins to the priest. The priest may encourage the penitent to be sincerely sorry and give practical advice. Then the priest gives a penance that is meant to atone for past sin and be "an aid to a new life and an antidote for weakness." (18)

Penitent's Prayer and the Priest's Absolution

The penitent expresses sorrow for sin and a resolve to begin a new life using a traditional Act of Contrition or other words.

Then the priest extends his hands over the penitent's head and says:

> God, the Father of mercies,
> through the death and resurrection of his Son
> has reconciled the world to himself
> and sent the Holy Spirit among us
> for the forgiveness of sins;
> through the ministry of the Church
> may God give you pardon and peace,
> and I absolve you from your sins
> in the name of the Father, and of the Son, and of the Holy Spirit.

Penitent: *Amen.*

Rite of Penance, 46

Proclamation of Praise and Dismissal of the Penitent

After the absolution, the priest prays:

> Give thanks to the Lord, for he is good.

Penitent: *His mercy endures for ever.*

Rite of Penance, 47

La elección de un nombre

En algunas diócesis, los que van a ser confirmados tienen la opción de escoger un nombre de Confirmación distinto al del Bautismo. Aunque ésta es una práctica popular de cientos de años el escoger un nombre de Confirmación no se menciona en el Ritual para la Confirmación del *Código del Derecho Canónico*. No hay obligación de seleccionar un nombre de Confirmación diferente al nombre dado en el Bautismo.

La importancia de los nombres

Probablemente, sus padres pasaron muchas horas pensando sobre el nombre que les iban a poner. Quizás escogieron un nombre en honor a un familiar o a un santo reverenciado por la familia o la cultura. Aunque es costumbre utilizar nombres de santos para los nombres de Bautismo, ahora la Iglesia permite otros nombres, siempre y cuando no sean incompatibles con la fe cristiana. No importa la forma en que fueron escogidos, ahora ya son parte de su historia e identidad.

Los nombres también son importantes en nuestra tradición religiosa. En el Antiguo Testamento, Dios promete a David: ". . . voy a hacerte un nombre grande como el nombre de los grandes de la tierra" (*1 Crónicas 17, 8*). El profeta Isaías, al hablar en el nombre de Dios, proclama al Rey Ciro: "yo soy Yavé . . . que te llamó por tu nombre" (*Isaías 45, 3-4*). En el Nuevo Testamento, Jesús dice a los discípulos que sus nombres están escritos en el cielo (*Lucas 10, 20*). Y tanto la epístola a los filipenses (*4, 3*) como el Apocalipsis (*21, 12-14*), se refieren a los nombres escritos en el libro de la vida.

El nombre de Confirmación

Tomar un nuevo nombre en la Confirmación puede simbolizar una etapa nueva y más profunda en su vida de fe. En la Sagrada Escritura se encuentran varias historias de personas cuyos nombres cambiaron después de haber tenido la experiencia de la conversión: Abram a Abraham, Jacob a Israel, Simón a Pedro y Saúl a Pablo. La celebración del Sacramento de la Confirmación es una oportunidad para reflexionar sobre el significado que tienen en su vida el Bautismo y la unión con Cristo por medio del poder del Espíritu Santo en la Confirmación. Es también ocasión para reflexionar acerca de cómo quieren dar testimonio del poder del Espíritu Santo en su vida. Si escogen un nombre diferente a su nombre bautismal, busquen nombres de santos o de personas santas que sean, para ustedes, verdaderos testimonios de fe. Escojan el nombre de un santo que admiren y que quieran que sea su patrón. La decisión de escoger a un patrón (y un nombre) especial en la Confirmación o de honrar el nombre recibido en el Bautismo no es, realmente, lo más importante de la celebración. Lo importante es Dios y el compromiso de la Iglesia hacia ustedes a través del Don del Espíritu Santo.

Choosing a Name

In some dioceses, those to be confirmed are given the option to choose a separate Confirmation name. Although a centuries-old, popular practice for those baptized as infants but confirmed later, choosing another name for Confirmation is not mentioned in the Confirmation Rite or the *Code of Canon Law*. There is no obligation to select a Confirmation name that is different from the name given at Baptism.

Importance of Names

Your parents probably spent many hours thinking about what they would name you. Your name may have been chosen to honor a relative or a saint who is revered by your family or culture. While it is customary to use the names of saints as baptismal names, the Church now permits other names as long as they are not incompatible with Christian faith. However your baptismal name was chosen, it is now a part of your history and identity.

Names are important in our religious tradition as well. In the Old Testament, God promises David: ". . . and I will make for you a name, like the name of the great ones of the earth" (*1 Chronicles 17:8*). The prophet Isaiah, speaking in God's name, proclaims to King Cyrus, "it is I, the LORD . . . I call you by your name" (*Isaiah 45:3–4*). In the New Testament, Jesus tells the disciples that their names are written in heaven (see *Luke 10:20*) and both the Letter to the Philippians (*4:3*) and the Book of Revelation (*21:12–14*) refer to names being written in the book of life.

A Confirmation Name

Taking a new name at Confirmation can be symbolic of a new or deeper stage in your faith life. There are several Scripture stories of people whose names changed after they experienced a conversion: Abram to Abraham, Jacob to Israel, Simon to Peter, and Saul to Paul. Celebrating the Sacrament of Confirmation is an opportunity for you to reflect on what Baptism and union with Christ through the power of the Holy Spirit in Confirmation means in your life. It is also an occasion to reflect on how you want to witness to the power of the Holy Spirit in your life. If you choose a name other than your baptismal name, look to saints and holy people who are truly witnesses of faith for you. Choose the name of a saint you admire and whom you want to be your patron. The decision to choose a special patron (and name) at Confirmation or to honor the name received at Baptism is not really the most important part of the celebration. What is important is God and the Church's commitment to you through the gift of the Holy Spirit.

La selección de un padrino

El papel más importante de un padrino de Confirmación es caminar contigo y guiarte en tu preparación para recibir completamente al Espíritu Santo en este Sacramento de Iniciación.

Los padrinos de Confirmación son como entrenadores o guías. Ellos afirman tus virtudes y te muestran las distintas formas en que puedes crecer y ser mejor en la práctica de la fe; peregrinan en la fe juntos. El padrino de Confirmación participa en tu preparación y te presenta el obispo o sacerdote durante la celebración del Sacramento de la Confirmación.

Dependiendo del programa de tu parroquia, tu padrino debe:

▶ asistir a algunas de las sesiones de catequesis,

▶ participar en retiros o proyectos de servicio contigo,

▶ pasar tiempo contigo realizando las actividades de las páginas de la sección Hagan un viaje, las cuales son sugerencias para hablar sobre cómo las enseñanzas y prácticas de la Iglesia se pueden llevar a la práctica.

Cómo elegir un padrino

La elección del padrino para la Confirmación es una tarea importante. Puedes seleccionar a uno de tus padrinos de Bautismo u otra persona. Cuando pienses sobre la selección de un padrino, piensa en alguien que practique su fe y que esté comprometido en su parroquia, entusiasta en relación con la fe católica y que sea fácil compartir y conversar con él.

He aquí algunas sugerencias para ayudarte mientras haces tu elección:

▶ **Piensa en las cualidades que quieres que tenga tu padrino.**

▶ **Piensa en personas que sean un buen ejemplo para ti.**

▶ **Pregúntate a ti mismo si uno de tus padrinos de Bautismo pudiera ser una buena elección.**

▶ **Consulta con tus padres, otros miembros de la familia o tu catequista, y pídeles sugerencias.**

▶ **Recuerda que los padrinos deben tener al menos 16 años de edad. Deben ser personas que practican su fe y deben haber celebrado el Bautismo, la Confirmación y la Eucaristía.**

▶ **Reza al Espíritu Santo para que te ilumine en la selección de tu padrino.**

▶ **Conversa con la persona que selecciones y explícale por qué lo elegiste y cuáles serán sus responsabilidades.**

The Role of the Sponsor

The most important role of a Confirmation sponsor is to walk with you and guide you as you prepare to receive the fullness of the Holy Spirit in this Sacrament of Initiation.

Confirmation sponsors are like spiritual coaches or mentors. They affirm your strengths and point out ways you can grow and become better in the practice of faith. You share your faith journey together. A Confirmation sponsor participates in your preparation and presents you to the bishop or the priest during the celebration of the Sacrament of Confirmation.

Depending on your parish program, your sponsor may:

- ▶ attend some of the catechetical sessions
- ▶ participate in retreats or service projects with you
- ▶ spend time with you doing the activities on the *Journey Together* pages, which guide you both in sharing how the teachings and practices of the Church relate to your lives

How to Choose a Sponsor

Choosing a sponsor for Confirmation is an important task. You may choose one of your godparents or you may choose another person. When you think about choosing a Confirmation sponsor, think about choosing someone who is an active, practicing Catholic; someone who is enthusiastic about the Catholic faith; and someone who is easy to talk to and be around.

Here are some suggestions to help you as you make your choice:

- ▶ Think about the qualities you want your sponsor to have.
- ▶ Think about people who are good examples for you.
- ▶ Ask yourself if one of your godparents would be a good sponsor.
- ▶ Talk with your parents, other family members, or your catechist about who would be a good choice.
- ▶ Remember, sponsors must be at least sixteen years old. They must be practicing Catholics and have already celebrated Baptism, Confirmation, and Eucharist.
- ▶ Pray to the Holy Spirit.
- ▶ Talk with the person you select and explain why you chose him or her and what his or her responsibilities will be.

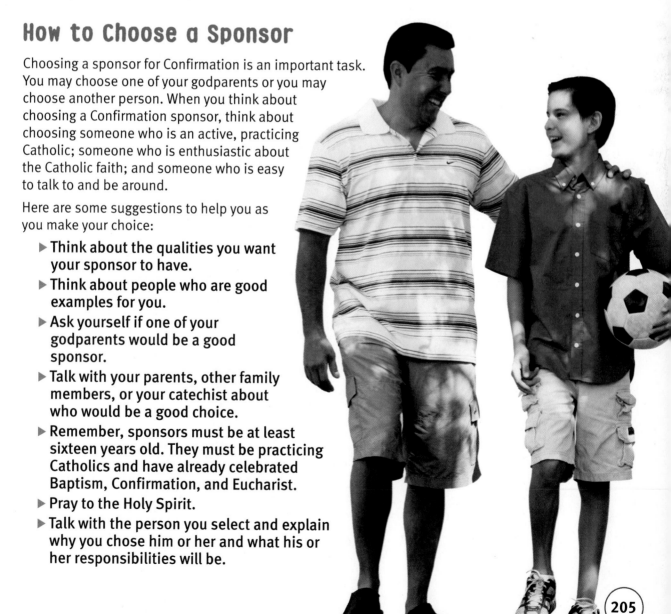

Las oraciones y las prácticas católicas

Como católicos tenemos muchas oraciones y prácticas que nos ayudan a crecer como discípulos de Jesús. Algunas de estas oraciones y prácticas son centrales o básicas, como celebrar los sacramentos, recitar el Credo y nuestra creencia en la comunión de los santos. A través de toda la historia de la Iglesia, los creyentes se han reunido como una asamblea para celebrar estas verdades de la fe en la **oración litúrgica o pública** de la Iglesia, cuando celebran los sacramentos y oran la Liturgia de las Horas. También se han desarrollado otras oraciones y prácticas llamadas **devociones**, que nos ayudan en el crecimiento y profundización de nuestra fe.

El Sacramento de la Eucaristía

La **Misa** es la liturgia más importante de la Iglesia Católica. En la Eucaristía, la Iglesia alaba y da gracias a Dios por todos los dones que nos ha dado, en especial por su Hijo Jesús. Por muchos años, a través de todo el mundo, la Misa se celebraba solamente en latín. El Concilio Vaticano II introdujo la opción de celebrar la Misa en la lengua original del pueblo. Algunas parroquias ofrecen la oportunidad de celebrar la Misa completa en latín y muchas otras cantan algunas oraciones de la Misa de mayor importancia en este idioma.

Catholic Prayers and Practices

As Catholics we have many prayers and practices to help us grow as disciples of Jesus. Some of these prayers and practices are central or core, such as the celebration of sacraments, the recitation of the Creed, and our belief in the communion of saints. Throughout the history of the Church, believers have gathered as an assembly to celebrate these core beliefs in the **liturgical or public prayer** of the Church when they celebrated the sacraments and prayed the Liturgy of the Hours. They also developed other prayers and practices called **devotions**, which help us express the mystery of the rich faith contained in those central or core prayers and practices.

The Sacrament of the Eucharist

The **Mass** is the most important liturgical prayer of the Catholic Church. In the Eucharist, the Church expresses praise and thanks to God for all the gifts he has given us, especially the gift of his Son, Jesus. For many years, throughout the world, the Mass was celebrated only in Latin. The Second Vatican Council ushered in the option to celebrate Mass in the vernacular or the language of the people. Some parishes provide the opportunity to celebrate the whole Mass in Latin, and many parishes sing some of the important prayers of the Mass in Latin.

Oraciones de la Misa

Señal de la cruz En el nombre del Padre, del Hijo y del Espíritu Santo. Amén.	**Signum Crucis** In nómine Patris, et Fílii, et Spíritus Sancti. Amen. (Latin)
Yo confieso ante Dios todopoderoso y ante vosotros, hermanos, que he pecado mucho de pensamiento, palabra, obra y omisión. Por mi culpa, por mi culpa, por mi gran culpa. Por eso ruego a Santa María, siempre Virgen, a los ángeles, a los santos y a vosotros, hermanos, que intercedáis por mí ante Dios, nuestro Señor. Amén.	**Confiteor Deo** omnipotenti, beatae Mariae semper Virgini, beato Michaeli Archangelo, beato Ioanni Baptistae, sanctis Apostolis Petro et Paulo, et omnibus Sanctis, quia peccavi nimis cogitatione, verbo et opere: mea culpa, mea culpa, mea maxima culpa. Ideo precor beatam Mariam semper Virginem, beatum Michaelem Archangelum, beatum Ioannem Baptistam, sanctos Apostolos Petrum et Paulum, et omnes Sanctos, orare pro me ad Dominum Deum nostrum. Amen. (Latin)
Señor, ten piedad. **Señor, ten piedad.** Cristo, ten piedad. **Cristo, ten piedad.** Señor, ten piedad. **Señor, ten piedad.**	Kyrie eleison. **Kyrie eleison.** Christe eleison. **Christe eleison.** Kyrie eleison. **Kyrie eleison.** (Greek)
Gloria a Dios en el cielo, y en la tierra paz a los hombres que ama el Señor. Por tu inmensa gloria te alabamos, te bendecimos, te adoramos, te glorificamos, te damos gracias. Señor Dios, Rey celestial, Dios Padre todopoderoso. Señor, Hijo único, Jesucristo. Señor Dios, Cordero de Dios, Hijo del Padre; tú que quitas el pecado del mundo, ten piedad de nosotros; tú que quitas el pecado del mundo, atiende nuestra súplica; tú que estás sentado a la derecha del Padre, ten piedad de nosotros; porque sólo tú eres Santo, sólo tú Señor, sólo tú Altísimo, Jesucristo, con el Espíritu Santo en la gloria de Dios Padre. Amén.	**Gloria** in excelsis Deo et in terra pax hominibus bonae voluntatis. Laudamus te, benedicimus te, adoramus te, glorificamus te, gratias agimus tibi propter magnam gloriam tuam, Domine Deus, Rex caelestis, Deus Pater omnipotens Domine Fili unigenite, Iesu Christe, Domine Deus, Agnus Dei, Filius Patris, qui tollis peccata mundi, miserere nobis; qui tollis peccata mundi, suscipe deprecationem nostram. Qui sedes ad dexteram Patris, miserere nobis. Quoniam tu solus Sanctus, tu solus Dominus, tu solus Altissimus, Iesu Christe, cum Sancto Spiritu in gloria Dei Patris. Amen. (Latin)

Mass Prayers

Sign of the Cross In the name of the Father, and of the Son, and of the Holy Spirit. Amen.	**Signum Crucis** In nómine Patris, et Fílii, et Spíritus Sancti. Amen. (Latin)
I confess to almighty God, and to you, my brothers and sisters, that I have sinned through my own fault, in my thoughts and in my words, in what I have done, and what I have failed to do; and I ask blessed Mary, ever virgin, all the angels and saints, and you, my brothers and sisters, to pray for me to the Lord our God. Amen.	**Confiteor Deo** omnipotenti, beatae Mariae semper Virgini, beato Michaeli Archangelo, beato Ioanni Baptistae, sanctis Apostolis Petro et Paulo, et omnibus Sanctis, quia peccavi nimis cogitatione, verbo et opere: mea culpa, mea culpa, mea maxima culpa. Ideo precor beatam Mariam semper Virginem, beatum Michaelem Archangelum, beatum Ioannem Baptistam, sanctos Apostolos Petrum et Paulum, et omnes Sanctos, orare pro me ad Dominum Deum nostrum. Amen. (Latin)
Lord, have mercy. **Lord, have mercy.** Christ, have mercy. **Christ, have mercy.** Lord, have mercy. **Lord, have mercy.**	Kyrie eleison. **Kyrie eleison.** Christe eleison. **Christe eleison.** Kyrie eleison. **Kyrie eleison.** (Greek)
Glory to God in the highest, and peace to his people on earth. Lord God, heavenly King, almighty God and Father, we worship you, we give you thanks, we praise you for your glory. Lord Jesus Christ, only Son of the Father, Lord God, Lamb of God, you take away the sins of the world: have mercy on us; you are seated at the right hand of the Father: receive our prayer. For you alone are the Holy One, you alone are the Lord, you alone are the Most High, Jesus Christ, with the Holy Spirit, in the glory of God the Father. Amen.	**Gloria** in excelsis Deo et in terra pax hominibus bonae voluntatis. Laudamus te, benedicimus te, adoramus te, glorificamus te, gratias agimus tibi propter magnam gloriam tuam, Domine Deus, Rex caelestis, Deus Pater omnipotens Domine Fili unigenite, Iesu Christe, Domine Deus, Agnus Dei, Filius Patris, qui tollis peccata mundi, miserere nobis; qui tollis peccata mundi, suscipe deprecationem nostram. Qui sedes ad dexteram Patris, miserere nobis. Quoniam tu solus Sanctus, tu solus Dominus, tu solus Altissimus, Iesu Christe, cum Sancto Spiritu in gloria Dei Patris. Amen. (Latin)

Oraciones de la Misa

Creo en un solo Dios, Padre todopoderoso, Creador del cielo y de la tierra, de todo lo visible y lo invisible. Creo en un solo Señor, Jesucristo, Hijo único de Dios, nacido del Padre antes de todos los siglos: Dios de Dios, Luz de Luz, Dios verdadero de Dios verdadero, engendrado, no creado, de la misma naturaleza del Padre, por quien todo fue hecho; que por nosotros, los hombres, y por nuestra salvación bajó del cielo, y por obra del Espíritu Santo se encarnó de María, la Virgen, y se hizo hombre; y por nuestra causa fue crucificado en tiempos de Poncio Pilato, padeció y fue sepultado, y resucitó al tercer día, según las Escrituras, y subió al cielo, y está sentado a la derecha del Padre; y de nuevo vendrá con gloria para juzgar a vivos y muertos, y su reino no tendrá fin. Creo en el Espíritu Santo, Señor y dador de vida, que procede del Padre y del Hijo, que con el Padre y el Hijo, recibe una misma adoración y gloria, y que habló por los profetas. Creo en la Iglesia, que es una, santa, católica y apostólica. Confieso que hay un solo bautismo para el perdón de los pecados. Espero en la resurrección de los muertos y la vida del mundo futuro. Amén.	**Credo** in unum Deum, Patrem omnipotentem, factorem caeli et terrae, visibilium omnium et invisibilium.

Et in unum Dominum Iesum Christum, Filium Dei unigenitum, et ex Patre natum ante omnia saecula. Deum de Deo, Lumen de Lumine, Deum verum de Deo vero, genitum non factum, consubstantialem Patri; per quem omnia facta sunt. Qui propter nos homines et propter nostram salutem descendit de caelis. Et incarnatus est de Spiritu Sancto ex Maria Virgine, et homo factus est. Crucifixus etiam pro nobis sub Pontio Pilato, passus et sepultus est, et resurrexit tertia die, secundum Scripturas, et ascendit in caelum, sedet ad dexteram Patris. Et iterum venturus est cum gloria, iudicare vivos et mortuos, cuius regni non erit finis.

Et in Spiritum Sanctum, Dominum et vivificantem, qui ex Patre Filioque procedit.Qui cum Patre et Filio simul adoratur et conglorificatur: qui locutus est per prophetas. Et unam, sanctam, catholicam et apostolicam Ecclesiam. Confiteor unum baptisma in remissionem peccatorum. Et expecto resurrectionem mortuorum, et vitam venturi saeculi. Amen. (Latin) |
Santo, Santo, Santo es el Señor, Dios del Universo. Llenos están el cielo y la tierra de tu gloria. Hosanna en el cielo. Bendito el que viene en nombre del Señor. Hosanna en el cielo.	**Sanctus, Sanctus, Sanctus,** Dominus Deus Sabaoth. Pleni sunt caeli et terra gloria tua. Hosanna in excelsis. Benedictus qui venit in nomine Domini. Hosanna in excelsis. (Latin)
Padre nuestro, que estás en el cielo, santificado sea tu Nombre; venga a nosotros tu reino; hágase tu voluntad en la tierra como en el cielo. Danos hoy nuestro pan de cada día; perdona nuestras ofensas, como también nosotros perdonamos a los que nos ofenden; no nos dejes caer en la tentación y líbranos del mal. Amén.	**Pater Noster** qui es in cælis: sanctificétur Nomen Tuum; advéniat Regnum Tuum; fiat volúntas Tua, sicut in cælo et in terra. Panem nostrum cotidianum da nobis hódie; et dimítte nobis débita nostra, sicut et nos dimíttimus debitóribus nostris; et ne nos indúcas in tentatiónem; sed líbera nos a Malo. Amen. (Latin)
Cordero de Dios, que quitas el pecado del mundo, ten piedad de nosotros. Cordero de Dios, que quitas el pecado del mundo, ten piedad de nosotros. Cordero de Dios, que quitas el pecado del mundo, danos la paz.	**Agnus Dei,** qui tollis peccata mundi, miserere nobis. Agnus Dei, qui tollis peccata mundi, miserere nobis. Agnus Dei, qui tollis peccata mundi, dona nobis pacem. (Latin)

Mass Prayers

We believe in one God, the Father, the Almighty, maker of heaven and earth, of all that is seen and unseen.	**Credo** in unum Deum, Patrem omnipotentem, factorem caeli et terrae, visibilium omnium et invisibilium.
We believe in one Lord, Jesus Christ, the only Son of God, eternally begotten of the Father, God from God, Light from Light, true God from true God, begotten, not made, one in Being with the Father. Through him all things were made. For us men and for our salvation he came down from heaven: by the power of the Holy Spirit he was born of the Virgin Mary, and became man. For our sake he was crucified under Pontius Pilate; he suffered, died, and was buried. On the third day he rose again in fulfillment of the Scriptures; he ascended into heaven and is seated at the right hand of the Father. He will come again in glory to judge the living and the dead, and his kingdom will have no end.	Et in unum Dominum Iesum Christum, Filium Dei unigenitum, et ex Patre natum ante omnia saecula. Deum de Deo, Lumen de Lumine, Deum verum de Deo vero, genitum non factum, consubstantialem Patri; per quem omnia facta sunt. Qui propter nos homines et propter nostram salutem descendit de caelis. Et incarnatus est de Spiritu Sancto ex Maria Virgine, et homo factus est. Crucifixus etiam pro nobis sub Pontio Pilato, passus et sepultus est, et resurrexit tertia die, secundum Scripturas, et ascendit in caelum, sedet ad dexteram Patris. Et iterum venturus est cum gloria, iudicare vivos et mortuos, cuius regni non erit finis.
We believe in the Holy Spirit, the Lord, the giver of life, who proceeds from the Father and the Son. With the Father and the Son he is worshiped and glorified. He has spoken through the Prophets. We believe in one holy, catholic and apostolic Church. We acknowledge one baptism for the forgiveness of sins. We look for the resurrection of the dead, and the life of the world to come. Amen.	Et in Spiritum Sanctum, Dominum et vivificantem, qui ex Patre Filioque procedit.Qui cum Patre et Filio simul adoratur et conglorificatur: qui locutus est per prophetas. Et unam, sanctam, catholicam et apostolicam Ecclesiam. Confiteor unum baptisma in remissionem peccatorum. Et expecto resurrectionem mortuorum, et vitam venturi saeculi. Amen. (Latin)
Holy, holy, holy Lord, God of power and might, heaven and earth are full of your glory. Hosanna in the highest. Blessed is he who comes in the name of the Lord. Hosanna in the highest.	**Sanctus, Sanctus, Sanctus,** Dominus Deus Sabaoth. Pleni sunt caeli et terra gloria tua. Hosanna in excelsis. Benedictus qui venit in nomine Domini. Hosanna in excelsis. (Latin)
Our Father, who art in heaven, hallowed be thy name; thy kingdom come; thy will be done on earth as it is in heaven. Give us this day our daily bread; and forgive us our trespasses as we forgive those who trespass against us, and lead us not into temptation, but deliver us from evil. Amen.	**Pater Noster** qui es in cælis: sanctificétur Nomen Tuum; advéniat Regnum Tuum; fiat volúntas Tua, sicut in cælo et in terra. Panem nostrum cotidianum da nobis hódie; et dimítte nobis débita nostra, sicut et nos dimíttimus debitóribus nostris; et ne nos indúcas in tentatiónem; sed líbera nos a Malo. Amen. (Latin)
Lamb of God, you take away the sins of the world: have mercy on us. Lamb of God, you take away the sins of the world: have mercy on us. Lamb of God, you take away the sins of the world: grant us peace.	**Agnus Dei**, qui tollis peccata mundi, miserere nobis. Agnus Dei, qui tollis peccata mundi, miserere nobis. Agnus Dei, qui tollis peccata mundi, dona nobis pacem. (Latin)

El Santísimo Sacramento

Durante la Misa, a través del poder del Espíritu Santo y las oraciones y acciones del sacerdote, el pan y el vino se convierten en el Cuerpo y la Sangre de Jesús. Esto se llama la **presencia real**. Muchas oraciones y devociones, como las siguientes, surgieron de la devoción de los fieles a la presencia real de Jesús en la Eucaristía.

La oración ante el Santísimo Sacramento

Es una devoción popular tradicional católica que honra nuestra devoción a la presencia real. Reservamos el Santísimo Sacramento en el tabernáculo para los enfermos, los moribundos y las personas que desean venir a orar ante el Santísimo.

A través de la historia de la Iglesia, los creyentes elaboraron otras oraciones y prácticas que los ayudaban a expresar el misterio de nuestra fe por medio de estas devociones.

La comunión de los enfermos

La Iglesia proporciona a las personas enfermas o que no pueden salir de sus casas oportunidades frecuentes para recibir la Eucaristía. El sacerdote, diácono o ministro extraordinario de la Eucaristía les lleva, a sus casas o lugares donde los cuidan, la santa comunión que ha sido consagrada en la Misa. Los ministros extraordinarios de la Eucaristía son personas laicas designadas para llevar la santa comunión cuando no hay un sacerdote o diácono disponible.

La Bendición

Esta acción litúrgica es una devoción a la presencia de Jesucristo en la Eucaristía. Es una oración de adoración. Durante la bendición, el Santísimo Sacramento, que está contenido en una custodia o copón, se expone y se incensa. Se hacen oraciones y se cantan himnos de adoración. Se lee un pasaje de la Sagrada Escritura y se hace una homilía o exhortación para ayudar a los participantes a comprender el misterio de la Eucaristía. Al concluir el periodo de adoración, el sacerdote o diácono bendice a los participantes con el Santísimo Sacramento.

Las cuarenta horas

Esta devoción del Santísimo Sacramento es un periodo especial de cuarenta horas continuas de oración que se hace ante el Santísimo Sacramento en exposición solemne. En esta devoción se enfatiza la presencia de Jesús en la Sagrada Eucaristía. Comienza con una Misa de exposición solemne que concluye con la exposición del Santísimo Sacramento y una procesión. El Santísimo Sacramento se queda en el altar en una custodia durante las próximas cuarenta horas mientras los fieles se reúnen para hacer oración personal o pública en adoración de nuestro Señor.

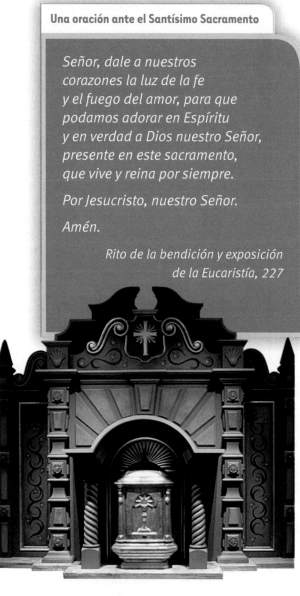

Una oración ante el Santísimo Sacramento

Señor, dale a nuestros corazones la luz de la fe y el fuego del amor, para que podamos adorar en Espíritu y en verdad a Dios nuestro Señor, presente en este sacramento, que vive y reina por siempre.

Por Jesucristo, nuestro Señor.

Amén.

Rito de la bendición y exposición de la Eucaristía, 227

Blessed Sacrament

During Mass, through the power of the Holy Spirit and the prayers and actions of the priest, the bread and wine become the Body and Blood of Jesus. This is called **real presence**. Many prayers and devotions developed from the faithful's devotion to the real presence of Jesus in the Eucharist:

Prayer before the Blessed Sacrament

This is a popular traditional Catholic devotion that honors the Catholic belief in the real presence. We reserve the Blessed Sacrament in the tabernacle for the sick, the dying, and for people who want to stop in and pray.

Throughout the history of the Church, believers developed other prayers and practices that helped them express the mystery of the rich faith contained in those central or core prayers and practices.

Communion of the Sick

The Church provides frequent opportunities for those who are sick and homebound to receive the Eucharist. The priest, deacon, or extraordinary minister of Holy Communion take Holy Communion that has been consecrated at parish liturgy to the sick in their homes or other places they may be being cared for. Extraordinary ministers of Holy Communion are lay persons appointed when no deacon or priest is available to take Holy Communion.

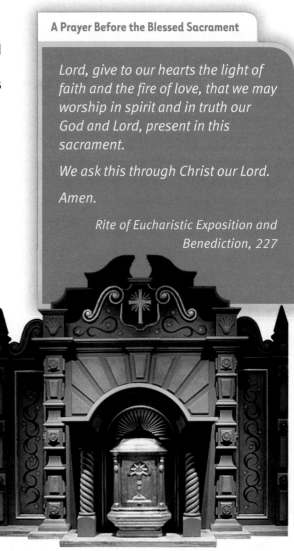

A Prayer Before the Blessed Sacrament

Lord, give to our hearts the light of faith and the fire of love, that we may worship in spirit and in truth our God and Lord, present in this sacrament.

We ask this through Christ our Lord.

Amen.

Rite of Eucharistic Exposition and Benediction, 227

Benediction

This liturgical action is a devotion to the presence of Jesus Christ in the Eucharist. It is a prayer of adoration. During Benediction, the Blessed Sacrament—contained in a monstrance or ciborium—is exposed and incensed. Prayers and hymns of adoration are said and sung. There is a reading from Scripture and a homily or exhortation is given to help participants understand the mystery of the Eucharist. At the conclusion of the period of adoration, the priest or deacon raises the Blessed Sacrament in a blessing of the participants.

Forty Hours

This devotion to the Blessed Sacrament is a special forty-hour period of continuous prayer made before the Blessed Sacrament in solemn exposition. The focus is upon the presence of Jesus Christ in the Holy Eucharist. It begins with a Solemn Mass of Exposition, which concludes with the exposition of the Blessed Sacrament and a procession. The Blessed Sacrament remains on the altar in a monstrance during the next forty hours while the faithful gather for personal or public prayer in adoration of our Lord.

La Santísima Virgen María

Como Madre de Jesús, el Hijo de Dios, María es llamada la Madre de Dios, la reina de todos los santos y Madre de la Iglesia. Hay muchas oraciones y prácticas de devoción a María.

El Magníficat

También llamado el cántico de María (*Lucas 1, 46-55*), el Magníficat es la oración de gozo de la Virgen María en respuesta al saludo de su prima Isabel (*Lucas 1, 41-45*). Este gran himno forma parte de la oración de la Iglesia en la Liturgia de las Horas. Cuando se recita como parte de la Liturgia de las Horas, le sigue la oración Gloria al Padre.

Proclama mi alma la grandeza del Señor, se alegra mi espíritu en Dios, mi Salvador, porque ha mirado la humillación de su esclava. Desde ahora me felicitarán todas las generaciones, porque el Poderoso ha hecho obras grandes por mí; su nombre es santo y su misericordia llega a sus fieles de generación en generación. El hace proezas con su brazo: dispersa a los soberbios de corazón, derriba del trono a los poderosos, enaltece a los humildes, a los hambrientos los colma de bienes y a los ricos los despide vacíos. Auxilia a Israel, su siervo, acordándose de la misericordia —como lo había prometido a nuestros padres— a favor de Abrahán y su descendencia por siempre. **Gloria** al Padre, al Hijo, al Espíritu Santo. Como era en el principio, ahora y siempre, por los siglos de los siglos. Amén.	**Magníficat ánima mea Dóminum,** et exsultávit spíritus meus in Deo salvatóre meo, quia respéxit humilitátem ancíllæ suæ. Ecce enim ex hoc beátam me dicent omnes generatiónes, quia fecit mihi magna, qui potens est, et sanctum nomen eius, et misericórdia eius in progenies et progénies timéntibus eum. Fecit poténtiam in bráchio suo, dispérsit supérbos mente cordis sui; depósuit poténtes de sede et exaltávit húmiles. Esuriéntes implévit bonis et dívites dimísit ináness. Suscépit Ísrael púerum suum, recordátus misericórdiæ, sicut locútus est ad patres nostros, Ábraham et sémini eius in sæcula. **Glória** Patri et Fílio et Spíritui Sancto. Sicut erat in princípio, et nunc et semper, et in sæcula sæculórum. Amen. (Latin)

El rosario

Una de las devociones más populares a María es el rosario. Es una meditación y oración que se enfoca en los misterios o eventos de la vida de Jesús y María. Existen veinte misterios del rosario.

Los misterios del rosario

Los misterios gozosos: La anunciación, la visitación, el nacimiento, la presentación en el templo, el hallazgo en el templo. **Los misterios luminosos:** El bautizo de Jesús, las bodas de Caná, la proclamación del Reino, la transfiguración, la institución de la Eucaristía. **Los misterios dolorosos:** La agonía en el huerto, la flagelación, la coronación de espinas, la cruz a cuestas, la crucifixión y muerte. **Los misterios gloriosos:** La Resurrección, la ascensión, la venida del Espíritu Santo, la asunción, la coronación en el cielo.

The Blessed Virgin Mary

As the Mother of Jesus, the Son of God, Mary is called the Mother of God, the Queen of all Saints, and the Mother of the Church. There are many prayers and practices of devotion to Mary.

Magnificat

Also called the Canticle of Mary (see *Luke 1:46–55*), the Magnificat is the Virgin Mary's joyous prayer in response to her cousin Elizabeth's greeting. (See *Luke 1:41–45*.) This great hymn forms part of the Church's prayer in the Liturgy of the Hours. When it is recited as part of the Liturgy of the Hours, it is followed by the Glory to the Father.

<table>
<tr>
<td>

**My soul proclaims
the greatness of the Lord,**
my spirit rejoices in God my Savior, for he has looked with favor on his lowly servant. From this day all generations will call me blessed: the Almighty has done great things for me, and holy is his Name.
He has mercy on those who fear him in every generation. He has shown the strength of his arm, he has scattered the proud in their conceit. He has cast down the mighty from their thrones, and has lifted up the lowly. He has filled the hungry with good things, and the rich he has sent away empty. He has come to the help of his servant Israel for he has remembered his promise of mercy, the promise he made to our fathers, to Abraham and his children forever.

Glory to the Father and to the Son and to the Holy Spirit, as it was in the beginning, is now, will be forever. Amen

</td>
<td>

Magníficat ánima mea Dóminum,
et exsultávit spíritus meus in Deo salvatóre meo, quia respéxit humilitátem ancíllæ suæ. Ecce enim ex hoc beátam me dicent omnes generatiónes, quia fecit mihi magna, qui potens est, et sanctum nomen eius, et misericórdia eius in progenies et progénies timéntibus eum.
Fecit poténtiam in bráchio suo, dispérsit supérbos mente cordis sui; depósuit poténtes de sede et exaltávit húmiles. Esuriéntes implévit bonis et dívites dimísit inánes. Suscépit Ísrael púerum suum, recordátus misericórdiæ, sicut locútus est ad patres nostros, Ábraham et sémini eius in sæcula.

Glória Patri et Fílio et Spirítui Sancto. Sicut erat in princípio, et nunc et semper, et in sæcula sæculórum. Amen.
(Latin)

</td>
</tr>
</table>

The Rosary

One of the most popular devotions to Mary is the Rosary. It is both a meditation and a vocal prayer that focuses on the mysteries or events in the lives of Jesus and Mary. There are twenty mysteries of the Rosary.

Mysteries of the Rosary

The Joyful Mysteries: The Annunciation, The Visitation, The Nativity, The Presentation in the Temple, The Finding in the Temple; **The Luminous Mysteries:** The Baptism of Jesus, The Wedding at Cana, The Proclamation of the Kingdom, The Transfiguration, The Institution of the Eucharist; **The Sorrowful Mysteries:** The Agony in the Garden, The Scourging at the Pillar, The Crowning with Thorns, The Carrying of the Cross, The Crucifixion and Death; **The Glorious Mysteries:** The Resurrection, The Ascension, The Descent of the Holy Ghost, The Assumption, The Coronation in Heaven.

Oraciones del rosario

Existen cinco oraciones básicas que deben conocer para rezar el rosario:

El Credo de los Apóstoles

Creo en Dios, Padre todopoderoso, Creador del cielo y de la tierra.
Creo en Jesucristo, su único Hijo, nuestro Señor, que fue concebido por obra y gracia del Espíritu Santo, nació de santa María Virgen, padeció bajo el poder de Poncio Pilato, fue crucificado, muerto y sepultado, descendió a los infiernos, al tercer día resucitó de entre los muertos, subió a los cielos y está sentado a la derecha de Dios, Padre todopoderoso. Desde allí ha de venir a juzgar a vivos y muertos.
Creo en el Espíritu Santo, la santa Iglesia católica, la comunión de los santos, el perdón de los pecados, la resurrección de la carne y la vida eterna.
Amén.

El padrenuestro,

Padrenuestro que estás en el cielo, santificado sea tu Nombre; venga a nosotros tu reino; hágase tu voluntad en la tierra como en el cielo. Danos hoy nuestro pan de cada día; perdona nuestras ofensas, como también nosotros perdonamos a los que nos ofenden; no nos dejes caer en la tentación y líbranos del mal. Amén.

El Avemaría

Dios te salve, María, llena eres de gracia; el Señor es contigo;
Bendita tú eres entre todas las mujeres, y bendito es el fruto de tu vientre, Jesús. Santa María, Madre de Dios, ruega por nosotros pecadores, ahora y en la hora de nuestra muerte. Amén.

El gloria

Gloria al Padre, al Hijo y al Espíritu Santo. Como era en el principio, ahora y siempre, por los siglos de los siglos. Amén.

Dios te salve, Reina y Madre de misericordia, vida, dulzura y esperanza nuestra; Dios te salve. A Ti clamamos los desterrados hijos de Eva; a Ti suspiramos, gimiendo y llorando, en este valle de lágrimas. Ea, pues, Señora, abogada nuestra, vuelve a nosotros esos tus ojos misericordiosos, y después de este destierro muéstranos a Jesús, fruto bendito de tu vientre. ¡Oh clemente, oh piadosa, oh dulce Virgen María!

Ruega por nosotros Santa Madre de Dios. Para que seamos dignos de alcanzar las promesas de nuestro Señor Jesucristo. Amén.

Cómo rezar el rosario

1. Hagan la señal de la cruz y reciten el Credo. Recen el Padrenuestro, el Avemaría y el Gloria al Padre.
2. Anuncien el primer misterio y recen el Padrenuestro.
3. Recen diez Avemaría mientras meditan en el misterio.
4. Recen el Gloria al Padre.
5. Anuncien el segundo misterio y recen el Padrenuestro. Repitan los pasos 3 y 4 y continúen de igual forma con el tercer, cuarto y quinto misterio.
6. Recen el Salve.
   Nota: En algunas ocasiones se añaden otras oraciones, las cuales se ofrecen por diferentes intenciones.
7. Digan las letanías.

Prayers of the Rosary

There are five basic prayers to know when praying the Rosary:

Apostles' Creed
I believe in God, the Father, almighty, creator of heaven and earth.
I believe in Jesus Christ. He was conceived by the power of the Holy Spirit and born of the Virgin Mary. He suffered under Pontius Pilate, was crucified, died and was buried. He descended to the dead. On the third day, he rose again. He ascended into heaven, and is seated at the right hand of the Father. He will come again to judge the living and the dead.
I believe in the Holy Spirit, the holy catholic Church, the communion of saints, the forgiveness of sins, the resurrection of the body, and life everlasting. Amen.

Our Father, who art in heaven, hallowed be thy name; thy kingdom come; thy will be done on earth as it is in heaven. Give us this day our daily bread; and forgive us our trespasses as we forgive those who trespass against us, and lead us not into temptation, but deliver us from evil. Amen.

Hail Mary
Hail Mary, full of grace,
the Lord is with thee.
Blessed art thou among women,
and blessed is the fruit of thy womb, Jesus.
Holy Mary, Mother of God,
pray for us sinners, now and at the hour of our death. Amen.

Glory to the Father and to the Son and to the Holy Spirit, as it was in the beginning is now, and ever shall be world without end. Amen.

Hail, Holy Queen, Mother of Mercy, our life, our sweetness and our hope. To you do we cry, poor banished children of Eve; to thee do we send up our sighs, mourning and weeping in this valley of tears. Turn then, most gracious advocate, thine eyes of mercy toward us, and after this our exile, show unto us the blessed fruit of thy womb, Jesus.
O clement, O loving, O sweet Virgin Mary!

Pray for us, O holy Mother of God. That we may be worthy of the promises of Christ.

How to Pray the Rosary

1. Pray the Sign of the Cross and say the Apostles' Creed. Pray the Our Father. Pray three Hail Marys. Pray the Glory to the Father.
2. Say the first mystery; then pray the Our Father.
3. Pray ten Hail Marys while meditating on the mystery.
4. Pray the Glory to the Father.
5. Say the second mystery; then pray the Our Father. Repeat 3 and 4 and continue with the third, fourth, and fifth mysteries in the same manner.
6. Pray the Hail Holy Queen.
7. Say the letanies.

Otras formas de orar

La oración es elevar nuestro corazón y mente a Dios. Hay diferentes clases de oraciones: oraciones de alabanza, de agradecimiento, de petición y de intercesión. A través de la oración tenemos la experiencia de unirnos a Dios. También hay muchas maneras de orar: con palabras, gestos, cantos y en silencio. Hay otros estilos de oración, como la meditación, la contemplación, la oración devocional y la oración con la Sagrada Escritura, que se pueden hacer solos o en grupos.

La *Lectio divina*

Ésta es una forma de oración contemplativa, con la Sagrada Escritura, que les permite pasar tiempo con Dios por medio de la lectura y meditación de sus palabras en la Sagrada Escritura. Implica leer un pasaje de la Sagrada Escritura; escuchar en silencio lo que dice; meditar sobre lo que se ha leído y escuchado; orar o conversar con Dios acerca de lo que escucharon y cómo eso se aplica a sus vidas; y, finalmente, contemplar o simplemente estar en la presencia de Dios. El objetivo de esta forma de oración es pasar tiempo con Dios mediante el uso de la Sagrada Escritura. El tiempo que pasamos en cualquiera de los cuatro pasos de la *lectio divina,* o sea, lectura, meditación, oración y contemplación, varía depende de cómo nos dejamos guiar por el Espíritu en el tiempo de oración.

Las novenas

Las novenas son nueve días consecutivos de oración pública o privada. Se puede hacer una novena por una intención u ocasión especial, o en preparación para una fiesta. Muchas novenas son oraciones a santos específicos o a la Santísima Virgen María. La persona o grupo que hace la novena dice la oración u oraciones por nueve días.

Other Ways to Pray

Prayer is the lifting of our hearts and minds to God. There are different kinds of prayer. We may pray prayers of praise, prayers of thanksgiving, prayers of petition, and prayers of intercession. Through prayer we experience union with God. There are also many different ways to pray. We pray with words, with gesture, with song, and in silence. Other prayer styles such as meditation, scriptural prayer, contemplation, and devotional prayer can be done alone or in a group.

Lectio Divina

This is a slow, contemplative praying of the Scriptures, which enables you to spend time with God through reading and meditating on his word in the Scriptures. It involves reading a passage of Scripture, listening quietly to what it is saying, meditating on what you have read and heard, praying or having a conversation with God about what we hear and how that applies to our life, and finally, contemplating or just being in the presence of God. This form of prayer has no other goal than spending time with God through the medium of his word. The amount of time we spend in any of the four steps of *lectio divina*, whether it is reading, meditation, praying, or contemplation depends on God's Spirit.

Novenas

Novenas are nine successive days of either public or private prayer. A novena may be prayed for a special intention, an occasion, or in preparation for a feast. Many novenas are prayers to specific saints or the Blessed Mother. The person or group praying the novena prays a certain prayer or prayers for nine days.

Oraciones católicas adicionales

Estas son oraciones que los católicos aprenden y oran diariamente:

Oración al Espíritu Santo
Ven, Espíritu Santo, llena los corazones de
    los fieles
y enciende en ellos el fuego de Tu amor.
Envía Tu Espíritu, y todo será creado.
Y renovarás la faz de la tierra.

El Memorare
Acuérdate, oh piadosísima Virgen María, que jamás se ha oído decir que ninguno de los que han acudido a tu protección implorando tu auxilio, haya sido desamparado. Animado por esta confianza, a ti acudo, oh Madre, Virgen de las vírgenes, y gimiendo bajo el peso de mis pecados me atrevo a comparecer ante ti. Oh madre de la Palabra encarnada, no desechéis mis súplicas, antes bien, escuchadlas y acogedlas con benevolencia. Amén.

Bendición antes de las comidas
Bendícenos, Señor, y bendice estos
alimentos que por tu bondad vamos a tomar.
Por Jesucristo, nuestro Señor.
Amén.

Acto de fe
Oh mi Dios, creo firmemente que eres un solo Dios en tres divinas Personas: el Padre, el Hijo y el Espíritu Santo. Creo que tu divino Hijo se hizo hombre y murió por nuestros pecados, y que ha de venir a juzgar a los vivos y a los muertos. Creo éstas y todas las verdades de fe que la santa Iglesia católica enseña porque las has revelado, tú que eres verdad y sabiduría eterna, que no puedes engañar ni ser engañado. En esta fe resuelvo vivir y morir. Amén.

Bendición después de las comidas
Te damos gracias, Señor,
por todos tus beneficios.
Tú, que vives y reinas por los siglos
    de los siglos.
Amén.

Acto de esperanza
Oh, Señor Dios, por tu gracia espero el perdón de todos mis pecados y, después de la vida aquí, ganar la felicidad eterna, porque lo has prometido, tú que eres infinitamente poderoso, fiel, bondadoso y misericordioso. En esta esperanza resuelvo vivir y morir. Amén.

Oración de San Ignacio
Tomad, Señor, y recibid
toda mi libertad,
mi memoria,
mi entendimiento
y toda mi voluntad;
todo mi haber y mi poseer.
Vos me lo disteis,
A Vos, Señor, lo torno.
Todo es Vuestro:
Disponed de ello
según Vuestra Voluntad.
Dadme Vuestro Amor y Gracia
que éstas me bastan.
Amén.

Acto de amor
Oh Señor Dios, te amo sobre todas las cosas y amo a mi prójimo por ti, porque eres el bien más elevado, perfecto e infinito, merecedor de todo mi amor. En este amor resuelvo vivir y morir. Amén.

Additional Catholic Prayers

These prayers are prayers that Catholics learn and pray often during their daily lives:

Prayer to the Holy Spirit

Come Holy Spirit, fill the hearts
  of your faithful.
And kindle in them the
  fire of your love.
Send forth your Spirit and
  they shall be created
And you will renew the
  face of the earth.

Memorare

Remember, O most gracious Virgin Mary, that never was it known that anyone who fled to your protection, implored thy help or sought thy intercession was left unaided. Inspired with this confidence, I fly unto thee, O Virgin of virgins, my Mother. To thee do I come, before thee I stand, sinful and sorrowful. O Mother of the Word Incarnate, despise not my petitions, but in thy mercy hear and answer me. Amen.

Grace Before Meals

Bless us O Lord and these your gifts
which we are about to receive
from your goodness,
through Christ our Lord. Amen.

Act of Faith

O my God, I firmly believe that you are one God in three divine Persons, Father, Son, and Holy Spirit. I believe that your divine Son became man and died for our sins and that he will come to judge the living and the dead. I believe these and all the truths which the Holy Catholic Church teaches because you have revealed them who are eternal truth and wisdom, who can neither deceive nor be deceived. In this faith I intend to live and die. Amen.

Grace After Meals

We give you thanks for all your gifts,
almighty God,
living and reigning now and for ever.
Amen.

Act of Hope

O Lord God, I hope by your grace for the pardon of all my sins and after life here to gain eternal happiness because you have promised it who are infinitely powerful, faithful, kind, and merciful. In this hope I intend to live and die. Amen.

Prayer of Saint Ignatius

Take O Lord, all my liberty. Receive my memory, my understanding and my whole will. All that I am, all that I have, you have given me, and I give it back to you, to be used according to your will. Give me only your love and your grace; with these I am rich enough, and I desire nothing more. Amen.

Act of Love

O Lord God, I love you above all thins and I love my neighbor for your sake because you are the highest, infinite and perfect good, worthy of all my love. In this love I intend to live and die. Amen.

Viviendo como testigos

Basados en la Sagrada Escritura y en las leyes de la Iglesia, los católicos siguen estas guías y reglas para vivir como discípulos y fieles seguidores de Jesús:

Los diez mandamientos

1. Amarás a Dios sobre todas las cosas.
2. No tomarás el nombre de Dios en vano.
3. Santificarás las fiestas.
4. Honrarás a tu padre y a tu madre.
5. No matarás.
6. No cometerás actos impuros.
7. No robarás.
8. No dirás falso testimonio ni mentirás.
9. No desearás la mujer de tu prójimo.
10. No codiciarás los bienes ajenos.

Obras de misericordia

Las obras de misericordia son maneras de responder a Jesús cuando lo vemos en aquellos que están necesitados. Las obras de misericordia corporales satisfacen las necesidades físicas de las personas y las obras de misericordia espirituales brindan esperanza y sanación.

Corporales

Alimentar a los que tienen hambre.
Dar de beber a los que tienen sed.
Vestir a los que están desnudos.
Dar techo a quien no lo tiene.
Visitar a los enfermos.
Visitar a los presos.
Sepultar a los muertos.

Espirituales

Aconsejar a los que dudan.
Enseñar a los ignorantes.
Aconsejar a los pecadores.
Consolar a los afligidos.
Perdonar las ofensas.
Soportar las equivocaciones con paciencia.
Rezar por los vivos y por los muertos.

Preceptos de la Iglesia

Los siguientes preceptos son obligaciones importantes de todos los católicos.

1. Participa en la Misa los domingos y los días de fiesta de la Iglesia. Santifica estos días y evita trabajar sin necesidad.
2. Celebra el Sacramento de la Reconciliación al menos una vez al año si has cometido un pecado grave.
3. Recibe la santa comunión al menos una vez al año durante el tiempo de Pascua.
4. Guarda ayuno y abstinencia en los días de penitencia.
5. Ayuda a la Iglesia en sus necesidades.

Living as Witnesses

Based on Scriptures and the laws of the Church, Catholics follow these guides and rules to live as disciples and faithful followers of Jesus:

The Ten Commandments

1. I am the Lord your God. You shall not have strange gods before me.
2. You shall not take the name of the Lord your God in vain.
3. Remember to keep holy the Lord's day.
4. Honor your father and your mother.
5. You shall not kill.
6. You shall not commit adultery.
7. You shall not steal.
8. You shall not bear false witness against your neighbor.
9. You shall not covet your neighbor's wife.
10. You shall not covet your neighbor's goods.

Works of Mercy

The Works of Mercy are ways to respond to Jesus when we see him in those who are in need. The Corporal Works of Mercy meet people's physical needs, and the Spiritual Works of Mercy bring spiritual hope and healing.

Corporal	Spiritual
Feed the hungry.	Counsel the doubtful.
Give drink to the thirsty.	Instruct the ignorant.
Clothe the naked.	Admonish the sinners.
Shelter the homeless.	Comfort the afflicted.
Visit the sick.	Forgive offenses.
Visit the imprisoned.	Bear wrongs patiently.
Bury the dead.	Pray for the living and the dead.

Precepts of the Church

The following precepts are important duties of all Catholics.

1. Take part in the Mass on Sundays and holy days. Keep these days holy and avoid unnecessary work.
2. Celebrate the Sacrament of Reconciliation at least once a year if there is serious sin.
3. Receive Holy Communion at least once a year during Easter time.
4. Fast and abstain on days of penance.
5. Give your time, gifts, and money to support the Church.

Días de precepto o de obligación

A los católicos se les exige ir a Misa los domingos a menos que exista una razón importante que les impida hacerlo. Los católicos también tienen que ir a Misa en ciertos días de fiesta de la Iglesia. En los Estados Unidos, los días de precepto o de obligación son las fiestas de:

- ▶ María la Madre de Dios (1.º de enero)
- ▶ la Ascensión del Señor (cuarenta días después de la Pascua o el domingo más cercano al final del periodo de cuarenta días)
- ▶ la Asunción de María (15 de agosto)
- ▶ Día de todos los santos (1.º de noviembre)
- ▶ la Inmaculada Concepción de María (8 de diciembre)
- ▶ Navidad (25 de diciembre)

Los dones y los frutos

Los dones del Espíritu Santo se reciben en el Bautismo y la Confirmación. Los dones nos dan el poder para elegir y actuar como testimonios vivos de nuestra fe. Los frutos son producto de la acción del Espíritu Santo en nuestra vida.

Los dones del Espíritu Santo

Sabiduría	Fortaleza	Piedad
Inteligencia	Ciencia	Temor de Dios
Consejo		

Los frutos del Espíritu Santo

Caridad	Paciencia	Generosidad	Modestia
Gozo	Amabilidad	Ternura	Auto control
Paz	Bondad	Fidelidad	Castidad

Las virtudes

Las virtudes teologales

Las virtudes teologales son dones que vienen de Dios. Se llaman virtudes teologales porque tienen sus raíces en Dios, están dirigidas a Él y reflejan su presencia en nuestra vida. (En griego, *theos* significa "dios").

- ▶ Fe significa creer en Dios y en todo lo que Él nos ha revelado, y creer en todo lo que la Iglesia nos propone para que creamos.
- ▶ La esperanza es el deseo, reforzado por la confianza, de hacer la voluntad de Dios y de alcanzar la vida eterna y las gracias que logran que este deseo se haga realidad.
- ▶ Por medio de la caridad amamos a Dios sobre todas las cosas y a nuestro prójimo como a nosotros mismos.

Las virtudes cardinales

Las virtudes cardinales son las principales virtudes morales alrededor de las cuales giran todas las demás virtudes y la vida moral. En latín, la palabra *cardo* significa eje. Nos ayudan a vivir una vida moral al gobernar nuestras acciones, dominar nuestras pasiones y emociones, y mantener nuestro comportamiento en el camino correcto. Estas virtudes son prudencia, justicia, fortaleza y temperancia.

Holy Days of Obligation

Catholics are required to attend Mass on Sunday unless a serious reason prevents them from doing so. Catholics also must go to Mass on certain holy days. In the United States, the holy days of obligation are the feasts of:

- Mary the Mother of God (January 1)
- the Ascension of the Lord (forty days after Easter or the Sunday nearest the end of the forty-day period)
- the Assumption of Mary (August 15)
- All Saints' Day (November 1)
- the Immaculate Conception of Mary (December 8)
- Christmas (December 25)

Gifts and Fruits

The Gifts of the Holy Spirit are given in Baptism and Confirmation. The Gifts give us power to choose and act as living witnesses. The fruits are the result of the Holy Spirit's action in our lives.

Gifts of the Holy Spirit

Wisdom	Courage (*Fortitude*)	Reverence (*Piety*)
Understanding	Knowledge	Wonder and awe (*Fear of the Lord*)
Right judgment (*Counsel*)		

Fruits of the Holy Spirit

Charity	Patience	Generosity	Modesty
Joy	Kindness	Gentleness	Self-control
Peace	Goodness	Faithfulness	Chastity

Virtues

Theological Virtues

The theological virtues are gifts from God. They are called the theological virtues because they are rooted in God, directed toward him, and reflect his presence in our lives.

- Faith means believing in God and all that he has revealed to us and believing in all that the Church proposes for our belief.
- Hope is the desire, bolstered by trust, to do God's will, and achieve eternal life and the graces that make this desire come true.
- Through charity, we love God above all else, and our neighbors as ourselves.

Cardinal Virtues

The cardinal virtues are the principal moral virtues around which all the other virtues and the moral life hinge. In Latin the word *cardo* means hinge. Cardinal virtues help us lead a moral life by governing our actions, controlling our passions and emotions, and keeping our conduct on the right track. These virtues are Prudence, Justice, Fortitude, and Temperance.

Glosario

absolución El perdón de los pecados que recibimos en el Sacramento de la Reconciliación.

alianza Acuerdo solemne y sagrado entre los seres humanos, o entre Dios y los seres humanos.

Bautismo Uno de los Sacramentos de Iniciación. Elimina el pecado original; nos hace hijos adoptados de Dios, miembros del Cuerpo de Cristo y templos del Espíritu Santo.

canonización Proceso largo y solemne mediante el cual la Iglesia reconoce como santa a una persona de virtud heroica.

características de la Iglesia Las características fundamentales que distinguen a la Iglesia y su misión. Son cuatro: una, santa, católica y apostólica.

cirio pascual También conocido como cirio de pascua. Simboliza a Cristo como la Luz del Mundo.

comunitaria La fe de la Iglesia es una fe compartida o comunitaria. Es a través de la comunidad de la Iglesia que nuestra fe se alimenta y mantiene.

conciencia La habilidad que nos da Dios para ayudarnos a reconocer la diferencia entre el bien y el mal.

Confirmación Uno de los Sacramentos de Iniciación. Perfecciona la gracia del Bautismo, nos hace partícipes de los dones del Espíritu Santo, que sellan a los candidatos y les capacitan para ser participantes activos en el culto y la vida apostólica de la Iglesia.

conocimiento El poder de saber el valor y lo sagrado de las cosas creadas, y de ver toda la vida y la creación a través de los ojos de Dios.

consejo El poder de tomar decisiones correctas sobre lo correcto y lo incorrecto, el bien y el mal.

conversión Un sincero cambio de pensamiento, corazón y deseo de alejarnos del pecado y del mal, y acercarnos a Dios.

convocatoria Cuando se refiere a la Iglesia, significa una invitación a un grupo de personas que son llamados por la Palabra de Dios.

cristiano Persona que sigue a Cristo y sus enseñanzas.

Cuerpo de Cristo Nombre dado a la Iglesia que significa que Cristo es la cabeza y los bautizados son los miembro del cuerpo.

discípulo Persona que sigue y cree en las enseñanzas de su maestro.

dones del Espíritu Santo Siete dones e inclinaciones recibidos en los sacramentos del Bautismo y la Confirmación. Estos son: sabiduría, inteligencia, consejo, fortaleza, conocimiento, piedad y temor de Dios.

encarnación El misterio de que el Hijo de Dios asumió la naturaleza humana y se volvió hombre mientras permaneció siendo Dios con el fin de salvar a toda la humanidad.

entendimiento La capacidad de comprender mejor los misterios de la vida y la religión, saber cómo vivir la vida como seguidores de Jesús y aplicar las enseñanzas de la Iglesia.

Espíritu Santo El Espíritu Santo nos ayuda a ser más fuertes como hijos de Dios y miembros de la Iglesia.

Eucaristía El Sacramento de Iniciación en el cual el pan y el vino se convierten en el Cuerpo y la Sangre de Cristo y todos aquellos que lo reciben en santa comunión se acercan más a Él y entre ellos.

evangelizar Compartir la Buena Nueva de Jesús con las demás personas de forma tal que los invite a creer en Él.

examen de conciencia Proceso por el cual miramos nuestra vida con la ayuda del Espíritu Santo para determinar la naturaleza de nuestras acciones, hábitos y actitudes hacia Dios y la Iglesia.

fe Creer en Dios y en todo lo que Él nos ha revelado. Es un don, una respuesta libre y una virtud.

fortaleza El poder de defender nuestras doctrinas y los valores del mensaje de Jesús, aun cuando sea difícil lograrlo.

gracia El don gratuito e inmerecido que Dios nos brinda para que podamos convertirnos en sus hijos adoptivos.

gracia santificante La vida divina de Dios en nosotros que nos hace sus amigos e hijos adoptivos.

Glossary

absolution The forgiveness of sin and the punishment due to sin given by an ordained priest in the Sacrament of Reconciliation.

Advocate A title given to the Holy Spirit that means helper.

Baptism One of the Sacraments of Initiation. It takes away original sin; makes us adopted children of God, members of the Body of Christ, and temples of the Holy Spirit.

Body of Christ A name given to the Church that expresses that Christ is its head and the baptized are the members of the Body.

canonization A lengthy and solemn process through which the Church recognizes someone of heroic virtue a saint.

chrism A combination of olive oil and balsam. It signifies abundance of grace and committed service to God. It is used at Baptism, Confirmation, and Holy Orders.

Christian Sometimes we say the baptized person is *christened*. He or she is then a Christian.

communal faith The faith of the Church is a shared or communal faith. It is through the community of the Church that our faith is fed and supported.

Confirmation One of the Sacraments of Initiation. It completes the grace of Baptism by a special outpouring of the Gifts of the Holy Spirit, which seal the candidates and enable them to be active participants in the worship and apostolic life of the Church.

conscience The God-given ability that helps individuals know the difference between right and wrong.

conversion A sincere change of mind, heart, and desire to turn away from sin and evil and turn toward God.

convocation A large assembly of people. In reference to the Church, it means a large assembly of people who are called by God's word.

courage The power to stand up for my beliefs and the values of Jesus' message even when it is difficult.

covenant A solemn and sacred agreement between humans or between God and humans.

disciple A student and a believer.

Eucharist The Sacrament of Initiation during which the wine and bread become the Body and Blood of Christ and all who receive him in Holy Communion are brought closer to him and one another.

evangelize To share the Good News of Jesus with others in a way that invites them to believe in him.

Examination of Conscience A process of looking at one's life with the assistance of the Holy Spirit to determine the nature of one's actions, habits, and attitudes toward God and the Church.

faith Believing in God and all that God has revealed. It is a gift, a free response, and a virtue.

forgiveness The gift of the Holy Spirit at Baptism and Confirmation gives us the strength to forgive others. Through the Sacrament of Penance, we ask forgiveness for our sins and God grants it.

Gifts of the Holy Spirit Seven powers and inclinations received in the sacraments of Baptism and Confirmation. They are: wisdom, understanding, right judgment, courage, knowledge, reverence, wonder and awe.

grace The free and undeserved gift God gives us so we can become his adopted children.

holiness A quality possessed when one participates in God's life. God is the source of all holiness.

Holy Spirit The Holy Spirit helps us become stronger children of God and members of the Church.

Incarnation The mystery that the Son of God took on human nature and became man while remaining God in order to save all people.

initiation Means becoming a member.

knowledge The power to know the value and worth of created things and see all of life and creation through God's eyes.

iniciación Significa el comienzo de ser miembro.

milagro Signo o maravilla, como la curación, que puede suceder solamente por medio del poder de Dios.

misión Tarea que nos mandan a hacer. La tarea de los cristianos bautizados es continuar la labor de Cristo en el mundo según el plan de Dios.

misioneros Personas que responden al llamado de llevar el mensaje de Cristo a los demás.

mistagogia Significa descubrir los misterios. También es el periodo final del ritual para la iniciación cristiana.

paráclito Traducción de la palabra griega *parakletos,* que se usa en la Sagrada Escritura para describir el Espíritu Santo: defensor (o intercesor), maestro, ayudador, alentador y consolador.

pecado Ofensa en contra de Dios y de la Iglesia.

pecado mortal Pecado grave (muy serio) por el cual alguien se aparta totalmente de Dios. Las condiciones del pecado mortal son: la ofensa tiene que ser seria, y la persona tiene que saber que la acción pecaminosa es seria y escoger libremente llevarla a cabo.

pecado original El pecado de los primeros seres humanos, que trastornó la armonía, bondad y balance original de la creación. Rompió la relación de nuestros primeros padres con Dios, con ellos mismos y con la creación.

pecado venial Un pecado menos serio que debilita, pero no destruye, la relación de una persona con Dios y con los demás.

Penitencia El Sacramento en el cual, mediante el poder del Espíritu Santo y las oraciones y acciones del sacerdote, los pecados son perdonados. También se le conoce como reconciliación y confesión.

perdón El Don del Espíritu Santo en el Bautismo y la Confirmación nos da la fortaleza de perdonar a otros. A través del Sacramento de la Penitencia, pedimos perdón por nuestros pecados y Dios nos lo concede.

presencia real La presencia única de Cristo en la Eucaristía.

protector Nombre dado al Espíritu Santo que significa que él nos ayuda a no caer en el pecado.

pueblo peregrino A través de los Sacramentos de Iniciación, llegamos a ser miembros de la Iglesia, la cual es tanto el Cuerpo de Cristo como un pueblo peregrino.

reconciliación Significa perdonar y reunirse de nuevo. La Penitencia y el Sacramento de la Unción de los enfermos son sacramentos de reconciliación porque, a través de la misericordia y el perdón de Dios, el pecador se reconcilia con Dios y también con la Iglesia.

revelación La comunicación de Dios de sí mismo, particularmente en su Hijo, Jesucristo.

reverencia El poder de tratar a Dios y a la gente con honor, y ver a las personas como creadas a imagen de Dios.

sabiduría El poder de juzgar las cosas a la luz de las normas de Dios y de tomar decisiones y actuar de acuerdo con la ley de Dios.

sacramentales Símbolos y objetos sagrados que ayudan a los católicos a responder a la gracia recibida en los sacramentos. Los sacramentales nos ayudan a orar y a recordar el amor de Dios por nosotros.

sacramentos Siete signos visibles de la gracia de Dios instituidos por Cristo y administrados por la Iglesia.

Sacramentos de Iniciación Los tres sacramentos que nos hacen miembros plenos de la Iglesia: Bautismo, Confirmación y Eucaristía.

santidad Cualidad que poseemos cuando participamos de la vida de Dios. Dios es la fuente de toda santidad.

santificador Significa *hacer santo.* Es un título del Espíritu Santo.

santo Persona que llevó una vida santa dando gloria a Dios y que ahora goza de la vida eterna con Él en los cielos.

santo crisma Combinación de aceite de oliva y bálsamo. Significa abundancia de gracia y servicio comprometido a Dios. Se usa en el Bautismo, la Confirmación y la Ordenación.

Temor de Dios El poder de reconocer cuán maravilloso es Dios y reconocer esa maravilla en su creación.

testigo Persona que presencia un acontecimiento o que da testimonio de ello.

Trinidad Nombre que le da la Iglesia al misterio de un Dios en tres Personas: Padre, Hijo y Espíritu Santo.

marks of the Church The essential characteristics that distinguish the Church and its mission. There are four: one, holy, catholic, and apostolic.

miracle A sign or wonder such as healing, which can take place only through the power of God.

mission A task one is sent to do. The task of baptized Christians is to continue the work of Christ in the world according to God's plan.

missionaries People who answer the call to bring Christ's message to others.

mortal sin A grave (very serious) sin by which someone turns completely away from God. The conditions of mortal sin are: the matter must be serious, the person must know the sinful action is serious, and the person must freely choose to do it.

mystagogy Means to uncover the mysteries. It is also the final period in the Rite of Christian Initiation.

original sin The sin of the first humans, which disrupted the original harmony, goodness, and balance of creation. It wounded and placed humankind in disordered relationships with God, one another, and creation.

Paraclete An English translation of the Greek word, *parakletos*, used in the Scriptures to describe the Holy Spirit; advocate (or intercessor), teacher, helper, comforter, and consoler.

Paschal Candle Also called the Easter candle. It is a reminder that Christ is the Light of the World.

Penance The sacrament in which, through the power of the Holy Spirit and the prayers and actions of the priest, sins are forgiven. It is also called Reconciliation and Confession.

pilgrim people Through the Sacraments of Initiation, we become members of the Church, which is both the Body of Christ and a pilgrim people.

real presence The unique presence of Christ in the Eucharist.

reconciliation Means coming back together. Penance and the Sacrament of Anointing of the Sick are both sacraments of reconciliation because through God's mercy and forgiveness, the sinner is reconciled with God and also the Church.

revelation The self-communication of God especially in his own Son, Jesus Christ.

reverence The power to treat God and people with honor, seeing people as made in God's image.

right judgment The power to make good decisions in matters of right and wrong, good and evil.

sacramentals Sacred symbols and objects that help Catholics respond to the grace received in the sacraments; sacramentals help us to pray and remember God's love for us.

sacraments Instituted by Christ and given to the Church. They are seven visible signs of God's grace.

Sacraments of Initiation The three sacraments that make us full members of the Church: Baptism, Confirmation, and Eucharist.

saint A person who led a holy life giving God glory and who now enjoys eternal life with God in heaven.

Sanctifier Means to *make holy*. It is a title of the Holy Spirit.

sanctifying grace God's divine life within us that makes us his friends and adopted children.

sin An offense against God and the Church.

Trinity The name the Church gives to the mystery of one God in three Persons: Father, Son, and Holy Spirit.

understanding The power to better understand the mysteries of life and religion, to know how to live your life as a follower of Jesus, and to apply the teachings of the Church.

venial sin A less serious sin that weakens, but does not destroy, a person's relationship with God and other people.

wisdom The power to judge things in light of God's standards and to make decisions and act according to God's law.

witness Someone who gives evidence.

wonder and awe The power to recognize how awesome God is and to recognize this awe in his creation.

índice

Los números en negrita remiten a las páginas donde los términos se encuentran definidos.

Boldfaced numbers refer to pages on which the terms are defined.